De vuurto

Alison Moore
De vuurtoren

Vertaald door Auke Leistra

Uitgeverij De Arbeiderspers · Utrecht
Amsterdam · Antwerpen

De vertaler ontving voor deze vertaling een werkbeurs
van het Nederlands Letterenfonds.

Omslagontwerp: Steven van der Gaauw
Omslagfoto: Nicholas Royle

ISBN 978 90 295 8847 8 / NUR 302

www.arbeiderspers.nl

Voor mijn ouders

Ze werd een hoge vuurtoren en straalde gemoedelijke lichtbundels uit die sommigen voor een verwelkoming hielden in plaats van voor een waarschuwing

Muriel Spark – *Het gordijn, bewogen door de wind*

Hoofdstuk 1 – Viooltjes

Futh staat op het dek van de veerboot en houdt zich met zijn zachte handen aan de koude reling vast. De wind gaat dwars door zijn nieuwe parka heen, blaast zijn dunne haar door elkaar en brengt de tranen in zijn ogen. Het is zomer en hij had dit niet verwacht. Hij heeft geen overtocht met een veerboot meer gemaakt sinds hij twaalf was en hij voor het eerst naar het buitenland ging, met zijn vader. Toen was het ook zomer en was het net zulk weer, dus misschien zou dit hem niet zo moeten verrassen.

Zijn vader nam hem op de boot mee naar de bioscoop. Futh weet niet meer welke film er draaide. Toen ze gingen zitten waren de lichten nog aan en was er verder niemand. Hij weet nog dat hij een kartonnen bak met warme popcorn op schoot had. Zijn vader, die naar het bier rook dat hij voor de film in de bar had gedronken, draaide zich naar Futh met de woorden: 'Je moeder verkocht ook popcorn.'

Ze was toen bijna een jaar weg, die zomer dat Futh met zijn vader op vakantie ging. Er werd nauwelijks over haar gesproken, terwijl Futh ernaar hunkerde dat zijn vader of wie dan ook zou zeggen: 'Je moeder...'

zodat zijn hart een sprongetje zou kunnen maken. Maar als haar naam viel was dat altijd in een of ander vervelend verband en zou hij liever willen dat er helemaal niks over haar gezegd was.

'In die tijd,' zei zijn vader, 'droegen de ouvreuses nog hoge hakken, dat hoorde bij hun uniform.'

Futh schoof wat op zijn stoel heen en weer en begroef zijn hand in de popcorn. Hij hoopte dat de film of op zijn minst de trailers, of zelfs de reclame, zo zou beginnen. Er waren wat mensen binnengekomen die vlak bij hen waren gaan zitten, maar zijn vader ging gewoon door.

'Ik was daar met een date. Dat meisje wilde niks, maar ik wel. Ik liep door het gangpad naar voren, naar je moeder, die daar stond met haar dienblad dat van binnenuit verlicht werd door een lampje. Ik kocht een zak popcorn en maakte een afspraakje met haar voor de volgende avond.'

De lichten werden gedoofd en Futh, die in angstige spanning in die donkere zaal zat, hoopte dat het daarbij zou blijven, dat het verhaal nu afgelopen zou zijn.

Zijn vader boog zich dichter naar hem toe en dempte zijn stem. 'Ik reed met haar naar het uitzichtpunt,' zei hij. 'Ze had een hele bleke huid waar in het maanlicht een gloed overheen lag en ik had half en half verwacht dat ze koel aan zou voelen. Maar ze was warm – het waren mijn handen die koud waren.'

Het doek lichtte op en Futh probeerde zich daarop te richten, op de drukte en het geflikker van licht op de verwachtingsvolle gezichten, maar zijn vader zei: 'Ze klaagde over mijn koude handen maar ze hield me niet tegen. Ze was niet chagrijnig, zoals sommige andere meisjes die ik daar mee naartoe had genomen.'

Futh voelde de warme druk van het dijbeen van zijn vader tegen zijn been, voelde het gekietel van de haartjes op zijn vaders arm op zijn blote onderarm, de hitte van zijn vaders naar bier stinkende ademhaling in zijn oor, de hand van zijn vader die naar zijn schoot ging en popcorn pakte. Eindelijk ging zijn vader rustig achteroverzitten om naar de film te kijken, die net begon. Na enkele minuten kon Futh aan zijn ademhaling horen dat zijn vader in slaap was gevallen.

Toen hij halverwege de film weer wakker werd, wilde hij weten wat hij gemist had, maar van Futh, die met zijn gedachten was afgedwaald, werd hij niet veel wijzer.

Futh wordt een beetje ziek van veerboten. Hij wordt al misselijk bij de gedachte dat hij door al die bars en restaurants zou moeten lopen met hun vloekende kleuren en dat hij dan aan zo'n vaatdoekvochtig tafeltje zou moeten gaan zitten, in de etensgeur van andere mensen, die je nog net kon ruiken in die scherpe lucht van schoonmaakmiddelen. Zijn maag zou meteen gaan opspelen. Hij staat liever buiten, in de frisse lucht.

Maar het is wel koud. Hij heeft niet genoeg laagjes aan. Hij heeft geen trui in de tas die hij uit de auto heeft meegenomen en die hij tussen zijn voeten heeft staan. Hij heeft niet eens een trui van huis meegenomen. Golven slaan tegen de scheepsromp, water en

een zoute geur vliegen over het dek. Hij voelt het ge-
rommel van de motor, de trillingen onder zijn voeten.
Hij kijkt omhoog naar de nachtelijke hemel, naar de
wassende maan, en inhaleert diep door zijn neus alsof
hij de geur van de maan opsnuift, alsof hij die voelt
trekken.

De klep waarover hij het autodek is opgereden
wordt opgehaald. Het doet hem denken aan de dicht-
klappende bladeren van een venusvliegenval, maar
deze is langzamer en maakt meer lawaai.

De meerkabels plonzen in het water en net als een
even van de wijs gebrachte treinpassagier die niet zou
kunnen zeggen of het zijn eigen trein is of de trein ernaast die wegrijdt, ziet Futh het losgemaakte land van
zich verwijderen. De motor ronkt en het water tussen
de kade en de vertrekkende veerboot begin te schui-
men.

Er staat nog iemand aan dek, een heel eind verderop, naast een reddingsboei, een man in een regenjas
met een hoed op. Net als Futh zijn kant op kijkt waait
de hoed af en landt in zee, in hun kielzog. De man
draait zich om, ziet Futh staan, lacht en roept iets over
het dek, tegen de wind in. Zijn woorden gaan verloren
maar Futh lacht vriendelijk terug. De man komt langs
de reling naar hem toe. Hij houdt zich voortdurend
vast, alsof hij zelf ook zou kunnen wegwaaien. Als hij
bij Futh is aangekomen zegt hij: 'Toch sta ik liever
buiten.'

'Ja,' zegt Futh, die de etensgeuren uit de mond van
de man kan ruiken, 'ik ook.'

'Ik word een beetje...' zegt de man en hij legt een

hand op zijn omvangrijke buik alsof hij zijn maag tot rust wil brengen.

'Ja,' zegt Futh, 'ik ook.'

'In vliegtuigen heb ik er nog meer last van.'

Futh en zijn metgezel zien Harwich langzaam kleiner worden. De zwarte zee rijst en daalt in het maanlicht.

'Gaat u op vakantie?' vraagt de man.

'Ja,' zegt Futh, 'ik ga wandelen in Duitsland.'

Als Futh zegt dat hij een week lang minstens vijfentwintig kilometer per dag gaat lopen, meer dan honderdvijftig kilometer in totaal, zegt de man: 'Dan moet u wel heel fit zijn.'

'Dat hóóp ik te zijn,' zegt Futh, 'aan het eind van de week. Ik heb de laatste tijd niet zo heel veel gewandeld.'

De man steekt een hand in een binnenzak van zijn jas, haalt er een brochure uit en geeft die aan Futh. 'Ik ben onderweg naar een congres,' zegt hij, 'in Utrecht.'

Futh werpt een blik op het programma en geeft het dan weer terug – voorzichtig, in verband met de wind. 'Ik geloof eigenlijk niet in dat soort dingen,' zegt hij.

'Nee,' zegt de man, die de brochure weer bij zich steekt, 'nou ja, ik weet het nog niet.' Hij zwijgt even en voegt er dan aan toe: 'Ik ga ook bij mijn moeder op bezoek, die woont in Utrecht. Ik ga eerst naar haar toe. Ik kom niet zo vaak in Nederland. Zij heeft vast al weer de hele week staan koken, voor ons tweeën. Je weet hoe moeders zijn.'

Futh ziet hoe de groeiende kloof tussen Engeland en hen volloopt met zeewater. 'Ja,' zegt hij, 'zeker.'

'Gaat u alleen die ene week?' vraagt de man.

'Ja,' zegt Futh. 'Ik ga zaterdag weer naar huis.'

'Ik ook,' zegt de man. 'Tegen die tijd heb ik er wel weer genoeg van, dan ben ik genoeg betutteld en volgestopt. Elke keer als ik bij haar ben kom ik een paar kilo aan.'

Futh voelt in zijn jaszak en vouwt zijn vingers om zijn keycard. 'Ik denk dat ik maar eens naar mijn hut ga,' zegt hij.

'Ja,' zegt de man, die de mouw van zijn jas aan de kant schuift om te kijken hoe laat het is, 'het is al bijna twaalf uur.' Futh bewondert het fraaie horloge van de man en de man zegt: 'Dat heb ik van mijn moeder gekregen. Ik heb tegen haar gezegd dat ze te veel geld aan me spendeert.'

Futh kijkt op zijn eigen horloge, een goedkoop ding, nagemaakt van een duur merk. Het loopt zo te zien een beetje voor. Hij draait de wijzers terug naar vlak voor middernacht, terug naar de vorige dag. Hij zegt welterusten en draait zich om.

Hij is halverwege het dek als er iets wordt omgeroepen over de intercom, een waarschuwing voor windkracht zes of zeven, een waarschuwing om niet naar buiten te gaan. Hij klimt de trap af, waarbij hij zich goed vasthoudt aan de leuning, en zoekt steun bij de wand tot hij bij de deur is aangekomen, die eruitziet als een luchtsluis. Hij gaat naar binnen en komt in de lounge.

De vloer gaat zachtjes op en neer. Hij voelt hem overhellen en onder zich wegzakken. Hij loopt een beetje wankel op zijn benen naar de trap aan de andere kant van de lounge en gaat naar beneden, op zoek naar zijn verdieping. Bordjes wijzen hem over trappen en door gangen de weg naar zijn hut.

Hij opent de deur met zijn keycard en duwt die achter zich dicht. Zijn tas zet hij op een stoel die bij de deur staat. Hij trekt zijn jas uit en hangt hem op een haak aan de deur, naast de instructies van de brandweer. Het is een kleine hut met niet veel meer dan een stoel en een bureautje, een kast, achterin een stapelbed en een badcel. Er is geen raam, niet eens een patrijspoort. Hij kijkt in de kast, in de vage verwachting daar een broekenpers aan te treffen, of een koelkastje of een kluisje, maar ziet alleen wat lege kleerhangers. Hij heeft geen broekenpers nodig, maar hij zou wel graag iets te drinken hebben, een continentaal biertje. Hij doet de deur van de badcel open en ziet een in plastic verpakt bekertje op de wastafel staan. Hij vult het bekertje onder de kraan en neemt het mee naar het stapelbed. Hij knipt het bedlampje aan, doet het grote licht uit en gaat op het onderste bed zitten om zijn schoenen uit te trekken.

Hij trekt zijn sokken van zijn voeten en masseert ze, zijn voeten doen pijn van het rondlopen aan boord en vooral van het buiten aan dek staan, waar hij zich de hele tijd schrap moest zetten. Hij heeft een keer een meisje gekend dat aan voetreflexologie deed en dat met haar duimen op zijn voetzool kon drukken en dan wist dat dit zijn hart was en dat zijn bekken en daar zijn milt enzovoort.

Hij gaat weer staan, haalt een kleine, zilveren vuurtoren uit zijn broekzak die hij in een zijvakje van zijn tas stopt, zodat hij niet kan wegrollen en kwijtraken. Hij zoekt zijn reiswekkertje, doet zijn horloge af en kleedt zich uit. Hij heeft een nieuwe pyjama en begraaft zijn neus even in de stof, in de 'nieuwe kleren'-geur van formaldehyde, alvorens hem aan te trekken. Dan pakt hij zijn toilettas en gaat naar de badcel.

In de spiegel boven de wastafel ziet hij zichzelf zijn tanden poetsen. Hij ziet er moe en bleek uit. Hij heeft te veel gedronken en niet genoeg gegeten en slecht geslapen. Hij vangt wat koud water op in zijn handen, wast zijn gezicht en spoelt zijn mond. Als hij weer rechtop gaat staan en een handdoek wil pakken, drupt er water op zijn pyjamajasje.

Hij stelt zich voor dat hij weer naar huis gaat, ziet zijn spiegelbeeld op de terugreis al voor zich, zijn opgefriste en gebronsde zelf na een week wandelen en frisse lucht en zonneschijn, een week van lekkere worsten en diepe slaap.

Terug in de hut klimt hij het laddertje op naar het bovenste bed, kruipt tussen de lakens en knipt het licht uit. Hij gaat op zijn rug liggen met het plafond vlak boven zich en probeert aan iets anders te denken dan het slingeren van de veerboot. De matras lijkt als een levend wezen onder hem uit te zetten en te verschuiven. Er zit een ventilatieschacht in het plafond, waar koude, muffe lucht door binnenkomt. Hij gaat op zijn zij liggen en probeert niet aan Angela te denken, die op dit moment misschien wel met zijn spullen bezig is en kijkt wat er weg kan en wat niet en alles in dozen stopt. De veerboot ploegt voort over de Noordzee en hij laat zijn huis steeds verder achter zich. De koude lucht uit de ventilatieschacht sijpelt door de kraag van zijn pyjama naar binnen. Hij draait zich weer om. Zijn hart voelt aan als het rauwe stuk vlees dat het is. Het voelt alsof het geschild is, en aan alle kanten bloedt. Het voelt zoals het voelde toen zijn moeder net weg was.

'Ik ga naar huis,' zei ze, waarmee ze New York bedoelde, bijna vijfduizend kilometer verderop aan de andere kant van de oceaan. Pas toen ze al weg was realiseerde Futh zich dat ze geen adres had achtergelaten. Hij keek op het prikbord in de keuken, maar het enige wat hij daar zag was het begin van een boodschappenlijstje. Haar handschrift was bijna één lange streep, een met een balpen getrokken lijn, niet te ontcijferen.

In de bibliotheek zocht hij naar plaatjes van New York. Hij vond wolkenkrabbers met een zon die gespiegeld in hun ruiten opkwam dan wel onderging, en wolkenkrabbers waarin overal lichten brandden aan een rivier die al dat licht weerspiegelde.

Van zijn vaders kant waren ze Duits, hoewel zijn vader nog nooit in Duitsland was geweest tot die ene keer dat ze erheen gingen toen Futh twaalf was. De opa van Futh was op jonge leeftijd van huis gegaan, hij wist niet hoe snel hij weg moest komen. Hij had zich in Engeland gevestigd en zijn ouders en zijn broer nooit weer gezien.

'Is hij nooit meer bij zijn ouders langs geweest?' vroeg Futh.

'Nee,' zei zijn vader. 'Hij dacht er wel vaak aan, maar het is er nooit van gekomen.'

Futh vond het geen prettig idee dat iemand zomaar weg kon gaan, zo plotseling nog wel, zonder zijn familie ooit weer te zien.

Hij duwt het laken van zich af en klimt op de tast naar beneden, naar het andere bed. De koude lucht volgt hem.

Hij werd 's nachts wakker en daar was zijn moeder, haar ronde gezicht hing boven hem, in het licht van de maan dat door een kier in de gordijnen naar binnen scheen. Toen ze zijn kamer uit liep bleef hij alleen in het donker achter met haar geur – de geur van viooltjes – en het geluid van haar voetstappen die naar beneden gingen.

Toen hij de volgende morgen wilde ontbijten was ze al weg, en was zijn vader al dronken. Voor ze wegging had zijn vader hem nooit geslagen. Daarna, als hij hem sloeg, was dat zonder waarschuwing vooraf, of zag Futh het althans op geen enkele manier aankomen. Het was net als wanneer een vogel met een ziekmakende bons tegen een raam aan vloog en dat je dan naar die vogel moest kijken die buiten angstwekkend stil op de grond bleef liggen, misschien alleen maar wat daas, maar vermoedelijk gewond en met allerlei nare botbreuken.

Futh probeerde zijn vader niet voor de voeten te lopen. Soms bleef hij buiten op zijn klimrek zitten tot het zo donker was dat hij de grond niet meer kon zien en het gras net zo goed een inktzwart meer had kunnen zijn, of een gapend niets, waar hij in zou vallen als hij van het klimrek naar beneden sprong. Daar was hij veilig – maar in het donker kon hij altijd het lichte vierkant van het keukenraam zien.

Futh zag zijn vader door de keuken lopen, dingen uit de koelkast pakken en eraan ruiken, in de kastjes kijken, een blik opendraaien, een gaspit aansteken, en zo zag hij ook wanneer het tijd was om naar binnen te gaan. Als hij te lang wachtte werd het eten koud en was alles verpest. Wat ook kon gebeuren was dat hij zijn vader alleen aan een lege tafel zag zitten, en dan wist hij dat hij beter kon wachten tot zijn vader de deur uit was, alvorens naar binnen te gaan en zelf in bed te kruipen.

Aan de andere kant, achter het hek achter in de tuin, woonde Gloria. Futh was vanaf de eerste klas van de basisschool vriendjes geweest met haar zoontje Kenny, al hadden ze weinig gemeen. Futh was niet echt een mensenmens, terwijl Kenny altijd meisjes of een hele bende jongens om zich heen had. Kenny voetbalde en speelde soldaatje terwijl Futh in de schoolbibliotheek zat te wachten tot de pauze was afgelopen. Kenny deed oriëntatielopen met zijn vader en kon uit allerlei onderdelen een fiets in elkaar zetten. Toen Futh zijn eigen fiets uit elkaar haalde en hem niet meer in elkaar kon zetten, weigerde zijn vader hem te helpen. Uiteindelijk deed Futh alle onderdelen – de versnellingen en de ketting en de pedalen en noem maar op – in een doos en liet die in de schuur staan, met in zijn achterhoofd het idee dat hij ooit zou weten hoe het moest.

Kenny en Futh gingen altijd met het licht uit voor het raam van hun slaapkamer staan, elk aan zijn eigen kant van hun aan elkaar grenzende achtertuinen en elk met een zaklantaarn, waarmee ze boodschappen seinden in het donker. Het was net zoiets als morse, alleen het had geen speciale betekenis. Kenny deed flits-flits-flits en dan deed Futh gewoon flits-flits-flits terug; Kenny deed flits-pauze-flits en Futh seinde hetzelfde terug. Tot het ophield. Het was voor Futh net alsof hij bij nacht naar een vuurtoren aan de horizon keek. Er was een lichtflits en dan bleef het donker en wachtte je op de volgende flits, en dan keek je naar waar het licht was geweest en waar het weer te zien zou zijn, maar eigenlijk keek je naar de duisternis.

Als het donker uiteindelijk niet meer door een flits werd onderbroken, betekende dat dat Kenny naar bed was gegaan en dan ging Futh ook in bed liggen. In later jaren nam hij de zaklamp mee onder de dekens en las hij de ooit verboden literatuur van de boekenplanken van zijn moeder.

Halverwege de basisschool ging Kenny weg – zijn vader ging ergens anders wonen en Kenny ging met hem mee. Het gebeurde plotseling, niemand had Futh verteld dat Kenny wegging of dat hij al weg was, en een aantal avonden bleef Futh voor het raam van zijn slaapkamer op de lichtsignalen van Kenny staan wachten. Hij seinde met zijn eigen zaklamp, flits-flits-flits, als een uitnodiging tot paren, maar kreeg geen enkele reactie.

Futh zag Kenny pas weer met Kerstmis. Ze troffen elkaar bij de slager. Gloria kwam de winkel binnen en ging achter Futh en zijn moeder in de rij staan. Kenny bleef buiten staan wachten en Futh ging naar hem toe.

Hij vroeg aan Kenny waarom hij was weggegaan, maar Kenny keek hem aan alsof hij niet goed bij zijn hoofd was en zei: 'Ik ben met mijn vader meegegaan.'

'Maar waarom is je vader dan weggegaan?'

'Nou, hij kon toch moeilijk blijven,' zei Kenny, 'toen hij het wist van die verhouding, of wel soms?'

Toen hij van de basisschool af was en de moeder van Futh was weggegaan en Futh er een gewoonte van had gemaakt om in het donker op zijn klimrek te blijven zitten, dacht hij geregeld aan Kenny, die hij na hun ontmoeting bij de slager al twee jaar niet meer gezien had. Dan keek hij naar het lege slaapkamerraam van Kenny, waaronder Gloria alleen in de keuken zat te eten.

Zo te zien had ze nooit vriendinnen op bezoek, vriendinnen zoals zijn moeder die had, die altijd in de zitkamer bij elkaar kwamen of bij mooi weer in de tuin, waarbij zijn moeder soms haar lievelingsnummer opzette, van haar favoriete zanger, en ze ging dansen, terwijl hij ergens dichtbij alleen aan het spelen was, ze had tegen hem gezegd dat hij hun niet voor de voeten mocht lopen, maar hij kwam zo dichtbij als hij durfde, gebiologeerd door het lawaai en de parfumgeuren en de blote benen van de in mini-jurkjes gehulde vriendinnen van zijn moeder. Gloria was daar nooit bij geweest.

Hij leerde de gewoontes van Gloria zo'n beetje kennen. Als ze de keuken in liep om voor zichzelf te koken, zette ze de radio aan. Als het eten klaar was deed ze de achterdeur open om de kat binnen te roepen, die ze vervolgens lekkere hapjes van haar eigen bord voerde. Als ze het eten ophad, ruimde ze af. Ze liet de radio aanstaan en ging naar boven om te douchen of een bad te nemen, en dan zag hij haar vage roze gedaante, gefragmenteerd achter het bobbelige glas van haar badkamerraam. Ze kwam altijd weer beneden in haar nachtpon, ging aan de keukentafel zitten en dronk een glaasje of twee. Vervolgens gaf ze de kat weer te eten, of bracht ze een vuilniszak naar buiten, of sproeide ze, in die ene droge zomer, in het donker haar tuin. In de hele straat verdorden de gazons en de planten van haar buren verwelkten en gingen dood, maar in de tuin van Gloria groeide en bloeide alles even uitbundig.

De achterdeur ging open en Gloria kwam naar buiten met een vuilniszak, maar in plaats van naar de containers te lopen betrad ze het grasveld en kwam ze zijn kant op in haar nachtpon, de vuilniszak nog in haar hand.

Ze leunde tegen het hek en zei: 'Helemaal eenzaam en alleen?'

Futh wist niet wat hij moest zeggen en zei niets.

'Ik ook,' zei ze, terwijl ze de vuilniszak in haar hand liet draaien. 'Ik zou wel wat gezelschap kunnen gebruiken.'

'Ik moet zo naar binnen,' zei Futh.

Gloria keek over zijn schouder naar hun huis, naar het verlichte keukenraam. 'Wat jij en je vader op dit moment nodig hebben,' zei ze, 'is een fijne vakantie. Dat heb ik ook gedaan toen mijn man me in de steek liet. Ik ging op vakantie. Na veertien dagen zon en cocktails dacht ik niet eens meer aan hem.'

Futh hoorde zijn vader roepen, draaide zich om en zag dat hij moest binnenkomen. Toen Futh zich nog een keer omdraaide liep Gloria alweer weg met haar vuilniszak.

'Wat wilde ze?' vroeg zijn vader zodra Futh door de keukendeur naar binnen kwam.

'Ze kwam alleen even een praatje maken,' zei Futh.

'Wat zei ze?'

'Ze zei dat ze eenzaam was.'

'Ik wil niet hebben dat je met haar praat,' zei zijn vader.

Er stonden twee kommen ossenstaartsoep op tafel. Ze gingen zitten en begonnen te eten. Door het raam waar geen gordijn voor hing, aan de andere kant van hun donkere achtertuinen, zag Futh het licht in de keuken en alle lichten beneden bij Gloria uitgaan. Even later zag hij het licht in de badkamer weer aangaan.

Er hing wel een gordijnrail, boven het keukenraam. Toen ze hier kwamen wonen, Futh was toen zeven, had zijn moeder de maten opgenomen voor de gordijnen, maar het was er nooit van gekomen ze ook daadwerkelijk te maken. Ze was ook van plan geweest het huis van boven tot onder te schilderen, maar ze had alleen de overloop gedaan toen ze ermee ophield, waarna ze geen kwast meer had aangeraakt. De meeste foto's en schilderijtjes die ze uit het vorige huis had meegenomen werden nooit opgehangen, en er werden wel bloembedden aangelegd maar die verwilderden vervolgens.

Zijn vader werkte snel zijn soep naar binnen, stond op, pakte zijn instappers en zei: 'Ik ben even weg. Een beetje dooreten, het is bedtijd.' Toen hij de keukendeur opendeed kwam de koude avondlucht naar binnen en die bleef toen hij weg was.

Het licht in de badkamer van Gloria ging uit en Futh zag haar haar slaapkamer binnengaan. Hij lepelde zijn soep naar binnen, tot en met het laatste stukje vlees aan toe. Hij zag haar voor de spiegel van haar kaptafel zitten, ze keek hoe ze eruitzag in haar nachtpon en plukte wat aan haar haar. Ze liep weer naar de overloop. Even later ging het licht in de hal beneden aan. Toen het weer uitging stond Futh snel op, zette zijn lege soepkom in de gootsteen en ging naar bed.

Hij wordt wakker in het donker. Hij ziet geen hand voor ogen en weet niet waar hij is.

'Waar ben ik?' vraagt hij, voor hij doorheeft dat hij alleen is. Hij denkt dat hij in het logeerkamertje ligt, maar het voelt helemaal verkeerd. Dan denkt hij dat hij misschien in zijn tweedehandsbed in de nieuwe flat ligt, maar ook daar lijkt het niet op. Eindelijk dringt het tot hem door dat hij aan boord van de veerboot is. Hij heeft vakantie, denkt hij, dat is alles, hij gaat op vakantie, en hij valt weer in slaap.

Toen hij met zijn vader naar Duitsland ging namen ze de dagboot. Zijn vader nam hem niet alleen mee naar de bioscoop, waar hij popcorn kreeg, maar kocht in de taxfreeshop ook snoep voor hem in een grote beker, en in de bar kocht hij zoveel zakjes pinda's dat

Futh de hele weg van de veerboot naar hun hotel in Duitsland misselijk in de auto zat.

In hun hotelkamer stonden twee eenpersoonsbedden en er was een kleine badkamer. Als Futh in bed lag en graag wilde dat er een lampje bleef branden, deed zijn vader het licht in de badkamer aan en liet de deur op een kier staan, waarna hij zei: 'Nu moet je gaan slapen.' Maar Futh bleef wakker liggen, met zijn gezicht naar het licht dat door de kier naar binnen scheen, en zag zijn vader in de grote spiegel boven de wastafel een ander shirt aantrekken, zijn haar kammen en zijn tanden poetsen. Daarna – Futh deed snel zijn ogen dicht en probeerde te ademen alsof hij sliep – ging zijn vader weg en viel de kamerdeur achter hem in het slot.

De volgende morgen lag zijn vader met wijd open mond in het andere bed, nog half in slaap. Futh kon de alcohol ruiken. Als hij opstond om naar de badkamer te gaan, bewoog zijn vader zich en vroeg, met zijn ogen half dichtgeknepen tegen het daglicht, hoe laat het was. Futh vertelde het hem, en dan was zijn vader verrast dat het al zo laat was. En dan zei hij tegen Futh: 'Je hebt goed geslapen.' Futh zei maar niet dat hij in de kleine uurtjes wakker was geworden en de kamerdeur had zien opengaan, en dat hij bij het licht van de gang zijn vader had zien binnenkomen met een vrouw, elke avond een andere. Als de deur achter hen dichtging liepen zijn vader en die vrouwen op de tast door de hotelkamer, die nog altijd zwak verlicht werd vanuit de badkamer, waar zijn vader ze mee naartoe nam. Even viel het licht dan vol in de kamer tot de deur weer werd dichtgetrokken, op de kier na waardoor Futh hen in de spiegel kon zien. 's Morgens stond Futh, die helemaal niet zo goed had geslapen, in de badkamer en wilde hij de wastafel niet aanraken, hij wilde niet eens in de spiegel kijken.

Hij zei ook niks tegen zijn vader toen hij een keer wakker was geworden en gemerkt had dat hij in bed had geplast. Hij trok zijn deken gewoon over de natte plek en kleedde zich aan om te gaan ontbijten in de wetenschap dat zijn bed in zijn afwezigheid zou worden verschoond.

Futh slaat zijn ogen op in het donker en hoort een vrouw hard tegen hem praten in een taal die hij niet verstaat. Hij tuurt naar zijn reiswekker en probeert de stand van de lichtgevende wijzers te duiden. Hij kan de onderkant van het bed boven zijn hoofd niet zien en steekt een arm omhoog om zich ervan te vergewissen dat hij is waar hij denkt dat hij is. Dan zoekt hij op de tast naar de schakelaar aan de muur en doet het licht aan.

Het is ochtend en de veerboot kan elk moment aankomen in Hoek van Holland. Futh staat op.

Onder de douche, waar de schuimende zeep naar appels ruikt, denkt hij aan Angela. Hij vraagt zich af wat ze met haar vrijdagavond gedaan heeft en wat ze van plan is met haar zaterdag te gaan doen. De meeste vrijdagavonden hadden ze op de bank televisie zitten kijken. Nu, zaterdagmorgen vroeg, stelt hij zich voor dat ze net thuiskomt na een avondje stappen, of al dan niet in slaap nog in bed ligt met een andere man. Het is meer dan vijftien jaar geleden dat hij met een ander was.

Als hij de douchekraan dichtdraait en eronder vandaan stapt op de antislipvloer, is hij in gedachten bij zijn vader en die vrouwen in de badkamer van hun hotelkamer. Hij buigt zich over de wastafel heen, veegt met een hand over de beslagen spiegel en kijkt weer naar zijn spiegelbeeld. Hij heeft niets van zijn vader.

Terug in de hut kleedt hij zich aan en steekt hij de zilveren vuurtoren weer in zijn broekzak. Hij verzamelt alle gratis spulletjes die ze altijd voor de passagiers klaarleggen – een pen, zakjes koffie en suiker en cupjes koffiemelk, de overgebleven toiletspullen, een douchekapje, de plastic beker – en doet ze in zijn tas. Dat kan hij in zijn nieuwe flat allemaal goed gebruiken.

Hij pakt zijn tas en zijn jas, zodat hij niet meer terug hoeft naar de hut, en gaat kijken waar hij kan ontbijten. Als hij bij het restaurant aankomt en de rij ziet, en de warme eieren en het warme vlees ruikt, bedenkt hij zich. Hij trekt zijn jas aan, hangt zijn tas over zijn schouder en gaat naar buiten, naar het dek.

Het heeft geregend en achter hen regent het nog, een motregen boven zee. De metalen trap is glibberig, hij moet voorzichtig zijn. De hemel is bleekgrijs, maar boven Nederland, waar ze nu bijna zijn, is de lucht aan het opklaren. Hij staat met zijn handen op de natte reling en kijkt hoe ze de Nederlandse haven binnenvaren. Aan de andere kant van het dek doet de man in de regenjas die zijn hoed kwijt is geraakt hetzelfde.

Futh zet zijn horloge een uur vooruit. Nu zal hij afdalen naar het autodek. Als ze hem het sein geven rijdt hij de boot af en het continent op, voor het eerst in een ander land achter het stuur.

'Nog even.'

Futh kijkt op en ziet dat de man naast hem is komen staan.

'Waar in Duitsland gaat u naartoe?' vraagt de man.

'Hellhaus,' zegt Futh. 'Bij Koblenz. Het is nog een aardig eind rijden.'

'O, daar doet u niet lang over, hoor,' zegt de man. 'Een paar uur.'

'Als ik niet verkeerd rijd,' zegt Futh, en hij denkt aan de maagdelijke Europese wegenatlas in zijn auto. Op lange afstanden reed Angela altijd en zij kon ook beter kaartlezen dan hij.

De veerboot meert af. 'We moesten maar eens naar het autodek gaan,' zegt Futh.

'Ik ben met de trein,' zegt de man.

'Waar zei u ook alweer dat u heen ging?'

'Utrecht. Dat is niet ver van hier. U komt er zo ongeveer langs op weg naar Koblenz. U zou er even koffie moeten drinken als u tijd hebt.'

Futh kijkt naar de vochtige jas van de man, ruikt de regen die door de stof is opgezogen. Hij kijkt naar de regenresten op de oogwimpers van de man, op zijn wenkbrauwen, op zijn kale hoofd. Hij stelt zich de man op zijn passagiersstoel voor, met de kaart op schoot en zijn bekendheid met dit land. 'Zou u misschien mee willen rijden tot Utrecht?'

De man straalt. 'Nou,' zegt hij, 'als u daar toch heen gaat, dat is wel heel vriendelijk van u. Dan zou u koffie kunnen drinken bij mijn moeder.'

'Dat lijkt me leuk,' zegt Futh, 'graag.'

De man steekt zijn hand uit en zegt: 'Carl.'

De hand van Carl is groot en bruin en, merkt Futh als hij hem pakt, warm. De hand van Futh – slank en bleek en koud – lijkt erin te verdwalen. 'Futh,' zegt hij. Carl buigt zich iets voorover en draait een oor naar hem toe alsof hij hem niet goed verstaan heeft, en Futh moet nog een keer zeggen: 'Futh.'

De twee mannen draaien de reling de rug toe om samen naar het autodek te gaan. Het natte dek glimt in het vroege ochtendlicht en Futh vraagt zich af hoe lang de veerboot in de zich steeds helderder aftekenende haven zal blijven liggen alvorens rechtsomkeert te maken en weer uit te varen, de kille, grijze zee op.

Hoofdstuk 2 – Borsten

Ester nestelt zich op haar kruk aan de bar en trekt haar rubber handschoenen uit. Ze schenkt wat tonic in het glas gin dat ze voor zich heeft staan en slaat het achterover. Ze vindt het prettig haar eerste borrel van de dag te nemen als ze klaar is met de kamers beneden.

Het is iets over elven. Het is altijd rustig om deze tijd, zo vlak voor de lunch. Behalve zijzelf zijn er alleen het nieuwe meisje en één klant, een man aan het andere eind van de bar. Ze is zich ervan bewust dat hij naar haar staart, maar ze kijkt niet terug, nog niet.

Als ze haar glas neerzet ziet ze een veeg op de rand, een rode lipstickvlek die niet van haar is. Ze roept het nieuwe meisje en laat haar het glas zien, maar het meisje kan niks anders bedenken dan dat ze het vuile glas van Ester zeker moet afwassen en neemt het van haar over.

Ester zit met één voet op het dwarsbalkje van haar kruk en de andere op de grond, een houding waardoor het lijkt alsof ze op het punt staat ergens heen te gaan, maar dat is niet het geval. Ze ziet zichzelf in de spiegels achter de flessen op de planken. Ze heeft die morgen lang aan haar kaptafel gezeten om te proberen haar gezicht helemaal goed te krijgen, maar nu ze tussen twee flessen middelmatige rode wijn door naar zichzelf kijkt, ziet ze dat de make-up rond haar rechteroog en op haar jukbeen te zwaar is aangezet.

Doordat ze alleen een topje aanheeft zijn de blauwe plekken op haar blote bovenarmen te zien, rijen donkere ovalen, net smoezelige vingerafdrukken van een crimineel, evenals haar slapper wordende boezem en de tatoeage boven haar linkerborst – een roos, helemaal open, met blaadjes die al loszitten en beginnen te vallen. De dunne bandjes van haar topje drukken in haar vlees, dat bleek en zacht is als ongebakken deeg.

Nu kijkt ze naar hem, naar de klant, een man van middelbare leeftijd die in zijn eentje een paar meter bij haar vandaan staat. Zijn brede schouders zijn gebogen, zijn ellebogen leunen op de bar. Met zijn rechte onderrug en korte, dunne benen heeft hij de vorm van een vraagteken. Hij drinkt een kop koffie en pelt een hardgekookt ei, nog altijd naar haar kijkend.

'U bent geen gast hier,' zegt Ester, in het Duits.

'Nee,' zegt hij. 'Ik kom hier alleen ontbijten.' Al babbelend schuift hij langs de bar naar haar toe met zijn gepelde ei, waarvan het wit wordt ingedrukt door zijn brede duim en korte vingers. Hij staat nu zo dicht bij haar dat zijn voet de hare raakt, maar ze laat haar voet gewoon staan. Hij bijt in het ei en ze hoort hem er met smakkende geluiden op kauwen.

Ze strijkt door haar haar, dat geelachtig is als haar rubber handschoenen, als het kruimelende eigeel. 'Ik moet weer aan het werk,' zegt ze. 'Ik heb alleen even pauze.'

'Ik moet ook nog ergens heen,' zegt hij. Ester ziet de eiige, kleverige binnenkant van zijn mond die open- en weer dichtgaat. 'Ik ben hier alleen op doorreis.'

Ze ziet de vlinder die op de rug van zijn andere hand is getatoeëerd, de hand die niet het ei vasthoudt, waarvan de duim achter de gesp van zijn riem haakt. Ze laat zich van haar kruk glijden en loopt naar de zwaaideur waardoor je bij de gastenkamers komt. Voor ze daardoorheen gaat, kijkt ze nog even over haar schouder.

De man stopt het laatste stukje ei in zijn mond en gaat achter haar aan. De stukjes eierschaal laat hij op de bar liggen.

Hij ligt op zijn rug in een bed waar die ochtend nog een Amerikaans stel in lag. Ester ziet hun donkere haren nog op de kussenslopen liggen. Hij kijkt schaamteloos, zonder met zijn ogen te knipperen, naar haar borsten en nergens anders naar.

In haar boezemloze jeugd verzamelde Ester foto's van de borsten van andere jonge vrouwen in een plakboek – borsten in bh's van de ondergoedpagina's in de catalogi van haar moeder, borsten in bikini's uit brochures van reisbureaus, blote borsten uit de advertenties voor cosmetische chirurgie achter in de tijdschriften van haar moeder en uit de bladen die haar vader onder zijn kant van de matras bewaarde. Als puber kon ze eindeloos naar die foto's van begeerde borsten kijken. Nu ze tegen de veertig loopt, is ze die fase bijna vergeten, maar de blik van deze man doet haar weer denken aan haarzelf als meisje, in haar slaapkamer met haar plakboek op schoot. Ze gaat op het bed liggen. Hij blijft onafgebroken naar haar borsten kijken, terwijl zij eigenlijk niet echt naar hem kijkt, maar vlak naast hem, langs hem heen. Als hij klaar is, doet hij zijn ogen dicht en valt in slaap.

Hij was snel, maar dat is ook maar beter. Ester moet voor de lunch nog twee kamers doen, er zijn toiletten en wastafels en badkuipen die moeten worden schoongemaakt, vloeren die moeten worden aangedweild, vloerbedekking die moet worden gestofzuigd, bedden die moeten worden opgemaakt, inclusief het bed waar ze in liggen.

In het verleden gebruikte ze altijd bedden die ze al verschoond had, maar sinds ze klachten kreeg over de lakens, zorgt ze ervoor dat ze kamers gebruikt die ze nog niet heeft schoongemaakt. Of ze gebruikt kamers van gasten die een dag weg zijn, waarna ze het beddengoed schoon klopt en rechttrekt, en soms, als ze daar toch is, de inhoud van laden en koffers bekijkt, flesjes parfum en lipsticks pakt en die uitprobeert. Als gasten al ooit merken dat hun bezittingen, kleine spulletjes, opeens weg zijn, zeggen ze er zelden iets van.

Ester kijkt naar de man die naast haar ligt te slapen. Hij ligt naar haar toe gedraaid, zijn vingertoppen rusten op haar arm, een lichte aanraking – zijn vlinder zoekt nog steeds naar haar bijna uitgebloeide roos. Er zit een kruimel eigeel in de stoppels bij zijn mondhoek. Ze draait zich om en zijn vingers glijden van haar huid.

Op de rand van het bed gezeten buigt ze zich voorover en pakt ze haar kleren van de grond. Ze trekt ze aan en plukt er wat haren af.

Zijn spijkerbroek ligt op een hoopje op het voeteneind van het bed. Ze trekt hem naar zich toe, doorzoekt de zakken en vindt een pakje sigaretten en een rode Bic-aansteker. Ze neemt een sigaret mee naar het open raam, steekt die op en gaat met haar blote ellebogen op de vensterbank naar de mensen staan kijken die beneden voorbijkomen. Als ze de rook uitblaast, drijven de flarden als voorbodes van slecht weer over hun hoofden.

Ze laat de brandende peuk uit het raam vallen. Zonder te kijken waar hij terechtkomt, zonder naar de vonken te kijken die eraf zullen schieten als haar peuk op het trottoir valt, draait ze zich om. Ze blijft voor de grote spiegel staan en fatsoeneert haar haar en haar gezicht, het uitgelopen roze van haar lipstick. Dan steekt ze haar voeten in haar schoenen met platte hak en loopt de kamer uit.

Ze is nog geen twee meter van de dichtvallende deur als ze Bernard boven aan de trap aan het andere eind van de gang ziet opduiken. Hij kijkt haar kant op, ziet haar en houdt de rubber handschoenen op die ze naast haar tonicflesje op de bar had laten liggen. Ze loopt rustig op hem af, neemt de handschoenen aan en bedankt hem, en haalt dan de schoonmaakkar die ze al in de lift naar boven had gezet. Ze duwt hem de volgende kamer in, kamer zes, en is zich ervan bewust dat Bernard naar haar kijkt voordat hij zich omdraait en weer naar beneden gaat.

Ester doet eerst de badkamer. Ze raapt de handdoeken op die na gebruik nat op de grond zijn gegooid. Ze spuit desinfecterend middel op een doek, neemt het toilet af en giet wat bleekmiddel in de pot. Ze maakt het bad schoon en trekt een pluk haar uit de afvoer. Ze spoelt haar doek uit, spuit er weer desinfecterend middel op en poetst de wastafel en het tandenborstelglas schoon. Ze dweilt de vloer, hangt het douchegordijn recht, hangt schone handdoeken op en legt een nieuw stukje zeep op de wastafel.

In de kamer haalt ze het laken van het bed, schudt het uit, inspecteert het, legt het weer terug en strijkt het glad. Ze draait de kussens om en schudt ze op. Ze stoft de multiplex meubeltjes af, gaat met de stofzuiger rond en sprayt de kamer met luchtverfrisser. Als ze de stekker van de stofzuiger uit het stopcontact trekt, hoort ze voetstappen op de gang, zware schoenen die van de andere kant komen, langs de deur lopen van de kamer waar zij bezig is en de trap af gaan.

Ze zet de vaas met plastic bloemen weer midden op de kaptafel en legt een zakje oploskoffie, een cupje koffiemelk en een pakje met twee biscuits bij de waterkoker en een snoepje op een van de kussens.

Ze duwt haar schoonmaakkar weer de kamer uit en haalt schoon beddengoed uit de linnenkast aan het eind van de gang. Dan doet ze de deur van nummer tien open en treft daar een slordig achtergelaten bed en een lege badkamer.

Beneden komt het vraagteken door de deur naar de

gastenkamers de bar binnen. Hij overweegt nog even iets te drinken maar besluit dat toch niet te doen, loopt regelrecht door naar de uitgang en gaat de straat op, de hitte in. Hij vervolgt zijn weg aan de schaduwkant van de straat. Bernard, die achter de bar staat, kijkt hem na.

Ester verwacht een heer Futh voor de lunch, en om een uur of vier nog een bruidspaar op huwelijksreis. De kamers zijn klaar en ze heeft de keuken gevraagd een vleeswarenschotel voor die heer Futh klaar te zetten. Ze pakt een glas gin en een nieuw flesje tonic en gaat aan de bar op haar gasten zitten wachten.

Hoofdstuk 3 – Rundvlees en ui

'Heb jij weleens ergens een akelig gevoel over?' vraagt Carl. 'Een vervelend gevoel over iets wat gaat gebeuren?'

'Zeker,' zegt Futh. 'Ik kreeg vroeger in het vliegtuig altijd paniekaanvallen.'

'Ik ben niet zo van het vliegen,' zegt Carl. 'Ik zat een keer in een vliegtuig en had er echt een heel onbehaaglijk gevoel bij, ik moest er weer uit. Ik ben ook niet graag onder de grond. De metro en de Kanaaltunnel mijd ik.'

'Eén keer,' zegt Futh, 'ging ik met het vliegtuig naar New York en zat ik me bij het opstijgen de hele tijd voor te stellen dat er brand zou uitbreken of dat er een terrorist aan boord was en dat we met zijn allen in de val zaten.'

'En wat gebeurde er?'

'O, niks. Het ging allemaal prima. Ik deed een ontspanningsoefening.'

Carl fronst zijn wenkbrauwen en zegt: 'Maar ik bedoel, heb je ooit weleens het gevoel dat er iets gaat gebeuren en dat dat dan ook echt gebeurt?'

'Zeker wel,' zegt Futh. 'Vorig jaar met kerst ging ik

bij mijn vader en zijn vriendin op bezoek, en ik wist gewoon dat hij in een slechte bui zou zijn, en dat was ook inderdaad zo.'

Futh rijdt de veerboot af, achter de auto voor hem aan. Mannen in oranje oliejassen gebaren dat ze door kunnen rijden. Ze rijden vlot langs de douane, waar verscheidene auto's helemaal worden leeggehaald, en komen ook zonder oponthoud door de paspoortcontrole. Dan zijn ze op weg.

Futh zegt: 'En ik weet ook dat ik de volgende kerst weer bij hen zal zijn, en dat het dan weer net zo zal gaan.'

Carl knikt, maar nog steeds met gefronste wenkbrauwen. 'Als je nou eens de hele week bij mijn moeder en mij in Utrecht kwam logeren?'

'De hele week?' vraagt Futh. 'Met de kerst?'

'Ik bedoel deze week,' zegt Carl. 'Ik moet door de week naar dat congres, maar in die dagen zal mijn moeder er wel voor zorgen dat het je aan niets ontbreekt.'

'O,' zegt Futh, en hij denkt even na alvorens te zeggen: 'Dat is heel vriendelijk aangeboden, maar ik heb al mijn overnachtingen al geboekt.'

'Mijn moeder zou het geweldig vinden als je bleef en ik ben maar een paar dagen weg, ik ben er vrijdagavond weer. Dan zouden we zaterdag samen terug kunnen reizen. Ga je met de nachtboot?'

Futh beaamt het en opnieuw denkt hij er een poosje over na alvorens te zeggen dat hij best zou willen maar dat het niet kan.

Carl is stil. Hij lijkt ergens mee te zitten en Futh vraagt zich af of Carl beledigd is.

'Maar dan zie ik je dus op de veerboot?' zegt Futh.

Carl knikt nauwelijks waarneembaar.

Futh hoopt dat Carl zijn rijstijl niet vervelend vindt. Als ze de snelweg oprijden legt Futh uit dat hij al heel lang niet heeft gereden en dat hij sowieso niet veel snelwegervaring heeft. 'En ik heb nog nooit in het buitenland gereden,' voegt hij eraan toe. Hij geeft gas om een reeks denderende vrachtauto's in te halen. Trillend en schuddend snelt zijn kleine auto over de middelste rijbaan.

Voordat hij, al in de veertig, rijexamen deed, had Futh voornamelijk met het openbaar vervoer gereisd en gelift. Toen Futh de deur uit ging verkocht zijn vader hun huis en trok bij zijn zus Frieda in. Als Futh op bezoek ging, liftte hij daarheen. Tante Frieda, die geen voorstander was van liften, waarschuwde hem altijd dat hij uit moest kijken voor vreemde mannen.

'En vreemde vrouwen,' voegde zijn vader eraan toe.

'Wees maar gewoon voorzichtig,' zei tante Frieda.

Futh vond dat ze overdreven bezorgd was. Als hij als klein kind op rotsen klauterde of roekeloos deed, omdat hij net als andere jongens wilde zijn, zei zij altijd: 'Je valt nog. Straks bezeer je je.' En dan viel hij inderdaad en bezeerde zich en dan hield zij hem voor: 'Jij ongelukskind. Je breekt nog eens je nek.'

Als ze hem meenam naar het zwembad, moest hij van haar zwemvleugeltjes om, ook al zei hij dat hij kon zwemmen. Soms ging hij met Kenny naar de rivier, en later ook wel in zijn eentje. Tante Frieda waarschuwde hem dat hij vooral niet in de rivier moest gaan zwemmen, vanwege de stroming en de waterplanten en de rotsen, en bovendien, de rivier was ook nog eens vergeven van de parasieten en de ziektes en God mag weten wat nog meer, en om de zoveel tijd verdronk er iemand. De laatste keer dat hij tante Frieda gezien had, een paar weken voor hij naar Duitsland ging, had ze hem gevraagd niet te gaan, niet dat hele eind te rijden, niet dat hele eind te lopen, niet in zijn eentje te gaan. Vlak voor zijn vertrek had ze nog gebeld en hem op het hart gedrukt dat hij zijn voeten goed moest verzorgen, dat hij op zijn paspoort moest letten en dat hij vooral voorzichtig moest zijn. 'Kom niet te dicht bij die rivier in de buurt.'

'Dat is 'm,' zegt Carl, turend door de voorruit, en hij wijst naar de afslag die ze moeten hebben.

Op aanwijzing van Carl rijdt Futh door Utrecht naar het andere eind van de stad. Ze parkeren voor een oud huis met twee verdiepingen dat in appartementen is opgedeeld. Als Futh is uitgestapt en op de stoep staat, heeft hij het deinen van de veerboot nog in de benen.

Naast de voordeur hangt een intercom met drie drukknoppen, waar Carl er een van indrukt. Er klinkt geknetter en dan een vrouwenstem die spreekt in een taal waarvan Futh veronderstelt dat het Nederlands is.

'Mama,' zegt Carl, in het Engels omdat Futh erbij is, 'ik ben het, Carl, en ik heb een gast meegenomen.' Als de deur een klikgeluidje maakt, duwt Carl hem open en Futh gaat achter hem aan naar binnen.

Ze nemen de trap naar het appartement op de tweede verdieping, naar een deur die voor hen op een kier is gezet. Daar gaan ze naar binnen. Carl doet de deur achter hen dicht. Hij hangt zijn jas op, draait zich om om de jas van Futh aan te nemen en roept: 'Mama?' Ze lopen door naar de woonkamer. Futh laat de hoge plafonds op zich inwerken, de kale vloerplanken, de hoge houten jaloezieën voor de ramen, het spaarzame meubilair, de tafel en kastjes zonder rotzooi erop, glas, leer en de geur van poetsmiddelen. Opnieuw roept Carl: 'Mama!' De akoestiek in de spartaans ingerichte kamer is net die van een leeg huis of een badkamer.

In de hoek van de kamer gaat een zwaaideur open en er komt een vrouw binnen. Ze neemt geuren van koffie en een oven waar iets in gebakken wordt met zich mee. Ze begroet Carl met enige luchtkusjes terwijl Futh blijft staan om aan haar te worden voorgesteld. Als Carl zich naar hem omdraait en zegt: 'Mama, dit is onze gast, mijn vriend', stapt Futh naar voren en geeft Carls moeder eerst een kus op de ene en dan op de andere wang. Onder de geuren van koffie en gebak ruikt hij zeep en bloemen.

'Aangenaam kennis te maken,' zegt hij.

'U bent van harte welkom,' zegt de moeder van Carl, terwijl ze zich omdraait. 'Kom, dan gaan we zitten.'

Met zijn drieën lopen ze naar een niet bepaald gerieflijk ogende bank. Futh gaat in het midden zitten. Op een tafeltje voor de bank staat een dienblad, waar de moeder van Carl een koffiepot van afpakt. Ze schenkt drie kopjes vol en geeft het eerste aan Futh, die het met een glimlach aanneemt. Ze vraagt hem naar zijn reis en zijn vakantie, en terwijl hij praat luistert zij en biedt hem melk en suiker aan. Bij het doorgeven van een schaal kleine gebakjes informeert ze naar zijn vrouw, zijn kinderen.

'Mijn vrouw en ik zijn net uit elkaar gegaan,' zegt Futh.

Met gevoelens van deelneming zet ze de schaal met gebakjes voor hem neer.

'En we hadden geen kinderen.' Hij verschuift zijn billen op de dunnetjes gestoffeerde bank.

'Misschien is dat maar goed ook,' zegt de moeder van Carl.

'Ik houd wandelende takken,' zegt hij. 'Ik wou graag een hond.' Angela had nee gezegd tegen een hond. Ze had er geen zin in uiteindelijk degene te zijn die dat beest elke dag moest uitlaten. Toen had hij wandelende takken gekregen. Daar is hij nogal op gesteld, al vermoedt hij dat zij geen besef van hem hebben, dat ze hem zich van de ene dag op de andere niet kunnen herinneren.

'Jij drinkt je koffie niet op,' zegt de moeder van Carl tegen Carl. 'Is hij koud geworden?'

Carl, die de hele morgen weinig mededeelzaam is geweest, al vanaf hun gesprekje in de auto, kijkt naar het onaangeroerde kopje koffie. 'Als jullie me willen excuseren,' zegt hij, 'ik moet even iets doen.' Hij loopt weer door de kamer naar de hal. Zijn moeder volgt hem met haar blik.

Even later richt ze zich weer tot Futh. 'Nog een

kopje?' vraagt ze, en ze pakt de pot en vraagt wat hij voor de kost doet.

'Ik zit in de productie van synthetische geuren,' zegt Futh.

'O ja?' Haar ogen staan glazig.

Hij licht het toe. 'We maken de chemische componenten na die ervoor zorgen dat appels naar appels ruiken enzovoort, we bootsen de natuurlijke geuren op kunstmatige wijze na. Hebt u weleens gehoord van micro-inkapseling? Dat is een technologie waarbij chemicaliën worden ingekapseld in microscopisch kleine bolletjes, miniflesjes parfum, zeg maar. Daar zitten er miljoenen van in van die geurpapiertjes, en elke keer dat je daaraan krabt gaan een paar van die miniflesjes kapot en ruik je meteen de geur – zelfs na twintig jaar nog, dan zijn die flesjes nog niet allemaal kapot en is de geur nóg niet verdwenen.'

'O, dat is vast heel interessant werk,' zegt ze. Ze kijkt op haar horloge. 'En wat doet uw vader?'

'Die was scheikundeleraar,' zegt Futh. 'Hij is nu met pensioen.' Hij drinkt zijn koffie op en de moeder van Carl glimlacht en steekt haar handen uit om het kopje van hem over te nemen. 'Dank u,' zegt hij, met een blik op de koffiepot.

Ze komt overeind met het lege kopje van Futh in haar handen en zegt: 'Nou, u zult uw reis wel weer willen vervolgen.'

'Ik heb geen haast, hoor,' zegt Futh. Ze aarzelt en gaat dan weer zitten. Futh schuift naar haar toe en vertelt verder. Er komt inmiddels een zware koffiegeur uit zijn mond. 'Alles wat je ruikt bevat een vluchtige chemische stof, die vervliegt en de nasale zintuig-cellen activeert. Als je iets ruikt is dat omdat het moleculen afgeeft aan de lucht die je inademt.'

'Ik heb nog zoveel te doen,' zegt ze, waarop Futh uitlegt hoe het huishoudrooster werkte dat Angela en hij gebruikten om de taken te verdelen.

De moeder van Carl wekt de indruk alsof ze er niet helemaal bij is. Van tijd tot tijd werpt ze een blik op de deur waardoor Carl de kamer uit is gelopen. Opeens staat ze op en zegt: 'Ik weet wat hij aan het doen is.' Ze beent door de kamer naar de hal. Futh hoort haar één keer op een deur kloppen en naar binnen gaan. Ze doet de deur achter zich dicht en Futh hoort haar boos tegen Carl praten, hoewel hij niet verstaat wat er gezegd wordt.

Als ze terugkomt zegt ze tegen Futh, die net nog een gebakje wil pakken: 'Misschien moet u daarna maar eens gaan.' Futh, die een keuze probeert te maken uit de overgebleven gebakjes, is zich er slechts vaag van bewust dat Carl weer binnenkomt. De moeder van Carl, die al bij Futh wegloopt, naar de keuken, vraagt: 'Zal ik een lunch voor u inpakken om mee te nemen?'

'Dat is niet nodig, hoor,' zegt hij. 'Ik word voor de lunch in Hellhaus verwacht.'

'Dat redt u nooit,' zegt ze.

Futh, die geen benul meer heeft van tijd en die sowieso niet weet hoe lang deze etappe ongeveer zal gaan duren, kijkt op zijn horloge en ziet hoe laat het al is. 'Nou,' zegt hij, met een dankbare glimlach naar zijn gastvrouw, 'als dat zo is, zou dat wel heel vriendelijk van u zijn.'

Ze gaat naar de keuken en Carl gaat achter haar aan.

Futh, die alleen in de kamer is achtergebleven, op het randje van die vreselijke bank, kijkt naar de keukendeur. Als die openzwaait, ziet hij Carl zachtjes maar op vermanende toon tegen zijn moeder praten. De deur zwaait dicht en weer open en dan ziet hij de moeder van Carl zich omdraaien en op gedempte toon iets terugzeggen. Ze praten niet alleen zacht maar ook nog in het Nederlands, Futh verstaat er geen woord van. De deur zwaait nog een keer bijna open en blijft dan dichtzitten. Futh moet denken aan de scènes waar hij zich als kind voor probeerde af te sluiten, zijn ouders die op gedempte toon ruziemaakten achter gesloten deuren.

Carl is de eerste die weer binnenkomt. 'Alsjeblieft,' zegt hij, 'je hoeft niet te gaan. Mijn moeder wilde je niet het gevoel geven dat je hier niet welkom was.'

'Nou,' zegt Futh, met een oog op de afkoelende koffiepot, 'ik denk dat ik toch maar moet gaan.'

De moeder van Carl komt binnen met een in vetvrij papier verpakte lunch. 'Voor onderweg,' zegt ze tegen Futh, en ze overhandigt hem het pakje. Hij neemt het aan in de verwachting dat het warm zal zijn, maar het is koud.

Carl loopt achter hem aan de hal in. 'Je zou toch echt moeten blijven,' zegt hij. 'Ik wil dat je blijft.' Futh trekt zijn jas aan, glimlacht en geeft hem een hand. Carl houdt die iets te lang vast.

Futh roept naar de woonkamer: 'Reuze bedankt voor de gastvrijheid.' Hij wacht op een antwoord, maar dat komt niet. Hij verlaat het appartement en loopt de trappen af naar de voordeur, die zwaar achter hem dichtvalt zodra hij naar buiten stapt met het koele lunchpakketje in beide handen. Rond het middaguur rijdt Futh eindelijk de stad uit en is hij weer op de snelweg, onderweg naar Hellhaus, wat niet alleen de naam is van het stadje waar hij heen gaat, maar ook die van het hotel waar hij die nacht zal slapen, waar hij zowel de eerste als de laatste nacht in Duitsland zal doorbrengen.

Hij rijdt naar het zuiden met het raampje open, zijn blote arm losjes op het portier. Na verloop van tijd is zijn arm al aardig verbrand.

Na een paar uur stopt hij op een parkeerplaats om het vleespasteitje op te eten dat hij van de moeder van Carl heeft meegekregen. Hij smult, het deeg is perfect en smelt in zijn mond en het vleessap loopt over zijn kin en drupt op zijn shirt.

Hij herinnert zich een picknick in Cornwall, in een zomervakantie, vlak voor zijn moeder wegliep: rundvlees en ui in korstdeeg waar met een vork een patroon van gaatjes in geprikt was, lauw in een vettige papieren zak; ze zaten op een klif in de brandende zon, met uitzicht op een vuurtoren, en luisterden naar zijn vader die maar doorpraatte over de oude vuurtoren die gebouwd was door een beruchte strandjutter en plunderaar van gestrande schepen.

Hij rijdt weer verder, tot het eind van de middag, als hij zich realiseert dat hij een eindje terug zijn afslag gemist heeft. Omdat hij op de snelweg, tussen twee afslagen in, niet kan keren, geeft hij gas en rijdt hij met iets hogere snelheid verder de verkeerde kant op.

Futh herinnert zich dat hij naast Angela in haar auto zat, zij reed en hij zat met een wegenatlas voor zijn neus. Hij zocht op de kaart naar de plaatsnamen die hij op de borden bij elke afslag waar ze langs scheurden zag staan en begon te beseffen dat ze weliswaar op de ringweg van Londen zaten, maar dat ze de verkeerde kant op reden. Hij begon hem steeds meer te knijpen, maar hield zich stil, hij hoopte dat hij het alsnog mis zou hebben, dat ze toch de goede kant op reden, ondanks de toenemende bewijslast van het tegendeel. 'Dit voelt niet goed,' zei Angela, maar hij zei nog steeds niks en bleef het moment voor zich uit schuiven dat hij zijn fout zou moeten erkennen, dat ze een afslag zouden moeten nemen en weer helemaal terugrijden – en maakte het er intussen alleen maar erger op.

Tegen de tijd dat hij in Hellhaus aankomt is het al vreselijk laat. Het is donker als hij zijn auto parkeert en met zijn koffer op wieltjes de straat in loopt, naar het centrum van het kleine stadje.

Hij heeft zich afgevraagd of dit Hellhaus eenzelfde oorsprong heeft als een Hellhaus waarvan hij weet dat het in Saksen staat – de ruïne van een toren die op een kruispunt van een aantal bospaden stond en die ooit gebruikt werd om vogels van verre te zien aankomen en met vlaggen aan de jagers op de grond door te geven welke kant ze op vlogen. Maar als hij een hoek omslaat en het hotel ziet, begrijpt hij waar het zijn naam aan te danken heeft, die zoiets betekent als 'licht huis'. Het hotel is witgepleisterd en gloeit in het licht van de maan.

47

Opnieuw heeft hij het idee dat de grond deint en overhelt, een gevoel dat hij sinds de overtocht al een paar keer heeft gehad. Het is net of zijn ziel eruit glipt en dan weer naar binnen glijdt. Zijn ingewanden voelen aan als de gelei in de varkensvleespasteitjes van zijn vader die aan alle kanten door de korst heen lekt.

Hij sjokt de laatste helling op, uitgeput van de lange rit en inmiddels ook weer uitgehongerd. Het hotel torent als een lichtbaken boven hem uit.

Hoofdstuk 4 – Parfum

De deur gaat open en laat koele avondlucht en enig rumoer van de straat binnen. Ester draait zich om. Er komt een man binnen, een magere, bleke man met dun, muisvaal haar. Over zijn ene arm draagt hij een parka, met de andere trekt hij een koffer op wieltjes achter zich aan. De deur valt weer zachtjes dicht en de geluiden van buiten sterven weg.

Ze blijft op haar kruk zitten en veegt stukjes sinaasappelschil op het schoteltje van haar koffiekopje. De man loopt naar de bar, op het nieuwe meisje af, de wieltjes van zijn koffer klepperen op de planken. 'Futh,' zegt hij tegen het meisje, 'ik ben Futh.' Het meisje kijkt hem aan en vraagt in het Duits wat hij wil. 'Ich bin Futh,' zegt hij.

Als het meisje hem wezenloos blijft aankijken draait hij zich om en kijkt om zich heen. Ester, die de hele middag en de hele avond op hem heeft gewacht, laat hem naar zich toe komen. Klepper-de-klep, klepper-de-klep, doet zijn koffer op de houten vloer, klepper-de-klep, als een treintje, tot hij voor haar staat. Ze neemt hem op, deze man met jus op zijn kin en op zijn shirt en zelfs op het kruis van zijn broek. 'Ik ben

49

Futh,' zegt hij weer in het Engels. 'Ik word hier verwacht.'

Ester klimt van haar kruk en loopt naar haar bureau. Hij komt achter haar aan en praat een eind weg.
'Ben jij Ester?' vraagt hij. Ze had het liever iets forme-
ler gehad, maar laat het erbij.

Ze kruist zijn naam aan in haar ordner en pakt zijn
sleutel van een rij haakjes aan de muur. 'Kamer zes,'
zegt ze, en ze overhandigt hem de sleutel.

'Dank je, Ester,' zegt hij.

Ze pakt zijn koffer en rijdt hem naar de hal, waar
ze op het knopje van de lift drukt, die nog boven is.

Terwijl Futh de lift naar de eerste verdieping
neemt, gaat Ester naar de keuken om de vleeswarenschotel te halen die ze voor zijn lunch hadden klaarge-
zet en die al die tijd onder plasticfolie in de koelkast
heeft gestaan.

Ze neemt de schotel mee in de lift naar boven en
klopt op de deur van kamer zes. Als er niet wordt ge-
reageerd, pakt ze haar loper en gaat naar binnen.

Hij is niet in de kamer. Ze hoort de douche in de
badkamer en hoort hem nu ook zingen. Ze zou liever
niet hoeven praten met die man die haar de hele tijd
Ester noemt alsof hij haar kent. Ze is boos op hem
omdat hij zo laat kwam en niet eens zijn excuus heeft
aangeboden. Ze is verplicht de man te eten te geven
– ze wil hem ook te eten geven, ze wil mannen altijd te
eten geven – maar ze zou het prettig vinden de kamer
te verlaten zonder zich verder met hem te hoeven
bemoeien.

Ze zet de schotel met vleeswaren op het tafeltje bij

het bed en haalt de folie eraf. Het vlees ziet er een beetje droog uit, maar dat is zijn eigen schuld. Ze draait zich om en kijkt naar de koffer, die open op het bed ligt.

Er zit niks van belang in, alleen kleren en onderin een paar boeken. Alleen in de kleren die hij aanhad, in een zak van zijn met jus bevlekte broek, vindt ze een zilveren vuurtoren. Hij is een centimeter of tien lang bij een doorsnee van drie, vier centimeter, haar hand past er precies mooi omheen. Het is een vierkante toren met een lichthuis met glazen raampjes en een koepeldak. In reliëf op één kant staat 'DRALLE', de naam van een oude parfumerie in Hamburg. Deze sierlijke zilveren mantel zou een flesje van geslepen glas met een zeer kostbaar parfum moeten bevatten, maar als Ester hem openmaakt is hij leeg. Zelfs de geur ontbreekt.

Toen Ester nog klein was werkte haar moeder voor een bedrijf in toiletartikelen. Ze was vaak van huis en dan werd Ester aan de zorgen van een au pair overgelaten. Haar moeder kwam altijd thuis met allerlei proefmonsters, maar ze droeg al haar hele leven dezelfde geur, dus alles ging naar Ester, die de gratis monsters verzamelde in een doos op haar kaptafel en zich daar royaal van bediende. Niet zelden had ze aan het ontbijt al op elke pols een ander geurtje.

Ester wilde later parfumeur worden. Ze kende de namen van tal van parfumhuizen – oud en nieuw, groot en klein – en kende hun geuren. Ze besloot haar eigen geurtje te componeren, zocht in de keukenkastjes van haar moeder van alles bij elkaar, citroensap, perzikensap, vanille-essence, kruiden, specerijen, en stelde zich voor dat ze de ultieme geur creëerde, die iemand maar even hoefde op te snuiven om verliefd op haar te worden. Ze maakte het af met gesnipperde bloemblaadjes van de rozenstruik waar haar moeder zo dol op was, ging naar de slaapkamer van haar ouders en pakte het parfum van haar moeder. Ze goot het flesje – de eau de parfum van haar moeder, haar hoogstpersoonlijke geur – leeg in de wasbak en vulde het met haar eigen eerste parfum, een kleverig brouwsel dat ze 'Ester' noemde en dat ze haar moeder ten geschenke gaf toen ze weer thuiskwam.

Daarna kreeg Ester geen proefmonsters meer. De volgende die haar parfum cadeau deed was Bernard.

De douche wordt dichtgedraaid en Ester hoort de gordijnringen over de rails ratelen. Ze laat de vuurtoren op de stapel kleren vallen en loopt naar de deur. Halverwege de kamer aarzelt ze. Ze draait zich om, kijkt naar de vuurtoren en doet een stap terug. Maar ze hoort hem al door de badkamer lopen, nog steeds zingend. Ze draait zich weer om naar de deur.

Als de deur van de badkamer opengaat is zij al op de gang, op weg naar de trap. De deur van kamer zes valt langzaam achter haar dicht.

Aan het andere eind van de gang, achter kamer tien, is een deur waar 'privé' op staat, en die het gedeelte voor de gasten scheidt van de kamers waar Ester en haar man wonen.

Bernard komt net door die deur aanlopen en ziet zijn vrouw met enige haast kamer zes verlaten, op weg naar de trap. Enige ogenblikken later komt een man in de deuropening van dezelfde kamer staan, buigt zich naar buiten en kijkt naar de trap. De man wordt ten dele door de deur aan het gezicht onttrokken, maar Bernard ziet een blote schouder, de knobbels van zijn ruggengraat, een wit been en een blauwgeaderde voet op de vloerbedekking van de gang. Dan kijkt de man om, ziet Bernard staan en trekt zich met enige gêne terug. De deur van zijn kamer valt in het slot, de sleutel wordt omgedraaid.

's Nachts zal het gaan onweren. Het zal niet lang duren, al is het noodweer er niet minder om, bijna niemand zal zich zelfs maar realiseren dat het die nacht geonweerd heeft, hoewel ze het in hun dromen misschien wel hebben horen tekeergaan.

In de ochtend, tegen de tijd dat de eerste mensen op zijn en weer naar buiten gaan, zal de zon weer schijnen, en zullen de trottoirs weer zijn opgedroogd. Van enige schade zal nauwelijks iets te zien zijn.

Hoofdstuk 5 – Zonnebrandcrème

In de kleine badkamer met zijn lage plafond vult Futh zijn tandenborstelglas. Hij heeft al een paar flinke slokken genomen voor hij beseft dat hij van de warme kraan drinkt. Hij heeft weleens verhalen gehoord van mensen die dode duiven aantroffen in de warmwatertank. Hij gooit weg wat er nog in het glas zit en vult het dan met koud water, wat hij nog steeds niet bijster goed vindt smaken. Hij gaat terug naar de kamer. Het is nog heel vroeg – hij was wakker geworden met dorst, zijn wekker was nog niet eens gegaan – maar het is al licht buiten en een vroege start zou helemaal niet verkeerd zijn.

De avond tevoren had zijn avondeten opeens op miraculeuze wijze bij zijn bed gestaan, had hij gezien toen hij uit de douche kwam. Hij had in zijn pyjama gegeten, staand bij het raam, uitkijkend over de rivier.

Hij heeft de gewoonte aangenomen om als hij ergens anders overnacht altijd eerst te kijken hoe je bij de nooduitgang komt, en stelt zich dan doemscenario's voor waarin de deur wordt geblokkeerd door vuur of een psychopaat. Dat is begonnen, denkt hij, toen hij in de twintig was en op een zolderkamer

woonde. Zijn tante Frieda was bang geweest voor
brand in het trapgat en inbrekers en had hem een
touwladder gegeven. Hij vindt het belangrijk om altijd
een uitweg te weten, waar hij ook is.

Hij had zijn bord neergezet, het raam openge-
daan – om in het donker te kijken of er ook een dak
was om op te klimmen, een pijp om langs naar beneden te klauteren, struiken die zijn val zouden kunnen
breken – en toen was er een mot naar binnen ge-
vlogen. Onder zijn raam zag hij het trottoir. Het leek
hem nogal een eind. Hij vroeg zich af of een mens van
zo'n hoogte uit het raam kon springen zonder iets te
breken.

Toen hij de schotel had leeggegeten ging hij zijn
tanden poetsen en flossen, waarna hij meteen naar
bed ging. Hij vond een snoepje op het kussen en hoorde in zijn achterhoofd weliswaar de stem van tante
Frieda die hem waarschuwde voor tandbederf en de
gevaren van snoepgoed, maar at het toch op, zoog
erop tot er niets meer van over was.

Hij had een boek gepakt en geprobeerd te lezen
maar kon zich niet concentreren, hij bleef dezelfde
regels lezen en kwam telkens onder aan de eerste
bladzij aan zonder iets in zich te hebben opgenomen.
Hij werd telkens afgeleid door de mot die om de lamp
heen fladderde. Hij ging weer uit bed en deed de gordijnen en het raam open om de mot eruit te laten – hij
wist heel goed dat de gedesoriënteerde mot eigenlijk
de maan moest hebben, dat was zijn baken, hoewel
Futh van waar hij stond geen maan kon zien. Hij ging
weer in bed liggen en draaide zijn kussen om, in de

hoop dat de onderkant iets koeler was. Daar zag hij een mascaravlek, als een spinnetje op het kussensloop. Hij hervatte zijn lectuur en de mot fladderde weg van het lamplicht, weg van het kunstlicht richting open raam.

Zijn gedachten bleven afdwalen, naar huis en naar Angela en waar hij de mist in was gegaan. Ze had zich altijd geërgerd aan het feit dat hij zo onbeholpen was in de omgang met andere mensen, vooral met vrouwen. Hij wist dat haar moeder hem raar vond. Hij was nogal in zichzelf gekeerd en zich niet voldoende bewust, zoals Angela vaak zei, van andere mensen en hoe die misschien tegen de dingen aankeken.

De mot had in een plooi in het gordijn gezeten en fladderde terug naar de lamp, waar hij telkens tegen het hete peertje aan vloog. Futh deed zijn boek dicht en legde het op het tafeltje bij het bed. Hij ging uit bed om de kaart te pakken die hij de volgende dag op zijn wandeling nodig zou hebben en ging weer liggen om de route te bestuderen. Maar hij bleef maar denken aan alles waar zijn vrouw zich in de loop van hun huwelijk aan geërgerd had.

Luisteren ging hem kennelijk slecht af en soms kreeg hij het voor elkaar zelfs de eenvoudigste instructies niet op te volgen. Hij ging altijd te laat de deur uit als hij ergens heen moest en kwam overal te laat, zelfs als hij met Angela had afgesproken. En hij bood nooit zijn verontschuldigingen aan, al zat hij nog zo duidelijk fout. Dat waren kleine dingen, maar hij veronderstelde dat het alles bij elkaar wat te veel was geweest. Hij stelde zich voor dat het allemaal anders was gelopen en liet zich even gaan in een fantasie waarin hij steeds het goede deed en zei, en Angela niet bij hem wegging. Maar het was te laat, het was al gebeurd.

Hij was met het licht aan in slaap gevallen en had diep geslapen alvorens vroeg wakker te worden met een verkreukelde kaart onder zijn wang. Nu staat hij weer bij het open raam en kijkt naar buiten. Er is nog niemand op straat en alles is nog dicht. Het is, realiseert hij zich, niet alleen vroeg, het is ook nog zondag.

Hij draait zich om en ziet bij het ochtendlicht opeens wat voor kleur de muren zijn: ze zijn een diep roze geschilderd, de kleur van halfrauw vlees, de kleur van zijn verbrande arm.

Hij kleedt zich aan voor de wandeletappe van die dag, gespt het horloge om zijn niet-verbrande pols en steekt de zilveren vuurtoren in de zak van zijn korte broek. Hij gaat naar beneden en neemt de schotel waar hij de avond tevoren zijn eten op heeft gekregen mee. De vrouw van het hotel zit op haar vaste kruk aan de bar, met haar rug naar hem toe, met een kop koffie en een sinaasappel. Hij loopt op haar toe, zet de schotel voor haar op de bar neer en bedankt haar in het Duits. Ze draait zich om en hij ziet de bloeduitstorting op haar gezicht, ondanks de make-up die ze heeft opgebracht. Hij bedankt haar nogmaals en zij knikt. Even staat hij alleen maar te glimlachen. Hij overweegt haar naar het ontbijt te vragen, maar voor hij in gedachten een zin in elkaar heeft gesleuteld heeft ze zich van haar kruk laten glijden en loopt ze met de lege schotel weg. Hij blijft staan en kijkt haar na. Hij kan de schil van haar sinaasappel, goede koffie, en ondertonen van een ontsmettingsmiddel ruiken.

Futh kijkt om zich heen, naar de verschillende lege tafeltjes en stoelen, de barkrukken en de gestoffeerde banken onder het raam, en vraagt zich af waar hij het beste kan gaan zitten. Er staat een man achter de bar en Futh loopt op hem af. Aan de muur hangt een bovenmaatse klok. Die had hij niet gezien toen hij hier gisteravond aankwam, al kan hij nauwelijks geloven dat hij die over het hoofd heeft gezien. Hij is gigantisch. De bar ruikt naar boenwas en Futh bespeurt ook een vleugje kamfer. De man leunt met beide handen op de bar, de vingers gespreid, met de gemanicuurde nagels als de ogen in een pauwenstaart. Hij is goed gekleed, hoewel Futh een vlieg ziet op de kraag van zijn overhemd. Futh herkent hem als de man die hij de avond tevoren op de gang heeft gezien. Hij had hem voor een hotelgast aangezien, maar kennelijk behoort hij tot het personeel. In zorgvuldig Duits informeert hij naar het ontbijt.

Bernard schudt zijn hoofd.

'Hoe laat is het ontbijt?' probeert Futh nog een keer.

Bernard kijkt hem een ogenblik zwijgend aan en zegt dan: 'U moet gaan.'

Futh begrijpt het niet. Hij weet niet precies wat de man net gezegd heeft, hij zit niet goed in zijn werkwoordsvervoegingen. Hij denkt wel te weten wat de man zei, maar wat hij denkt slaat nergens op. Hij heeft betaald voor een kamer plus ontbijt, maar klaarblijkelijk heeft zich een of ander probleem voorgedaan dat hem boven de pet gaat. Hij probeert opnieuw antwoord te krijgen op zijn vraag, maar de man staart hem alleen maar aan en zegt verder geen woord meer.

Futh geeft het op, gaat terug naar zijn kamer en pakt zijn spullen.

Zijn koffer zal na zijn vertrek van zijn kamer worden gehaald. Die wordt – tenzij er met die service ook een probleem is – naar het volgende hotel op zijn rondreis gebracht en zal op hem staan wachten als hij daar vanmiddag aankomt.

Hoewel er goed weer is voorspeld stopt Futh zijn regenjas in zijn rugzak. Hij heeft kaarten en een kompas, een gids en een Engels-Duits woordenboek; hij heeft drinken en wat snacks; hij heeft een extra paar wandelsokken en een verbandtrommeltje; hij heeft zelfs eetgerei en een naaisetje. Hij heeft zijn vuurtoren al in zijn zak en kan niks anders bedenken wat hij nodig zou kunnen hebben. Op het laatste moment denkt hij aan zijn boek, dat nog onder de lamp op het tafeltje bij zijn bed ligt. Hij loopt erheen. Daar, op het omslag, ligt de mot van de avond tevoren.

Hij doet zijn rugzak om en wil al gaan, maar aangezien hij zijn ontbijt is misgelopen komt hij niet verder dan de waterkoker. Hij vult hem in de badkamer, zet hem aan en doet een zakje koffiepoeder en koffiemelk in een kopje. Hij denkt aan de moeder van Carl, aan het ontbijt dat ze wellicht voor Carl gemaakt heeft, met verse koffie en zelfgebakken lekkernijen. Hij vraagt zich af of hij niet dom is geweest.

Het water kookt. Hij vult het kopje, brengt het naar zijn mond om te voelen of het niet te heet is en zet het dan in de vensterbank om af te koelen. Hij steekt de koekjes in zijn zak en checkt dan zonder dat het nou zoveel zin lijkt te hebben alle laden en de hangkast. Hij kan zich niet herinneren dat hij daar iets in heeft gedaan – hij heeft niks uitgepakt – maar, bedenkt hij, hij slaagt er altijd wel in iets te laten liggen. Steevast ziet hij een jas over het hoofd die nog in een kast hangt, zijn paspoort achter in een la of in een zak van die jas in de kast, een pyjama die tussen de lakens ligt, iets wat nog met een stekker in een stopcontact zit of een tandenborstel, talloze tandenborstels, hoewel die makkelijk te vervangen zijn.

Hij laat zich op zijn knieën zakken en kijkt onder het bed, voor het geval hij daar iets heeft laten slingeren. Midden onder het bed ligt iets onidentificeerbaars. Hij steekt zijn arm eronder en haalt het tevoorschijn. Het is zacht, een of ander verfrommeld kledingstuk, onder het stof, de pluisjes en de veertjes. Hij gaat staan, schudt het uit, veegt het af en kijkt wat hij gevonden heeft. Het is een slipje. Hij vraagt zich af hoe lang het daar gelegen heeft.

Hij herinnert zich zijn koffie, draait zich om naar het raam en pakt zijn kopje. Af en toe een teugje nemend kijkt hij naar de paar mensen die inmiddels over straat lopen. Hij denkt aan al het stof dat hij net van dat slipje heeft staan schudden en dat nu in de lucht hangt die hij inademt. Het grootste deel van dat stof, bedenkt hij, bestaat uit dode huidcellen van vreemden.

Hij drinkt zijn koffie op, zet het lege kopje weer bij de waterkoker en verlaat de kamer.

In de lift realiseert hij zich dat hij nog steeds dat slipje in zijn hand heeft. Hij houdt het in zijn vuist geklemd, reepjes roze satijn zijn nog net zichtbaar tussen zijn vingers. Hij weet niet wat hij ermee moet, aan wie hij het geven moet. Als hij de bar in loopt aarzelt hij even, maar dan legt hij het – heel voorzichtig, alsof het breekbaar is – op het bureau van de hotelhoudster, naast haar ordner. Enigszins gegeneerd kijkt hij om zich heen en hij ziet dat hij wordt gadegeslagen door de barkeeper die hem geen ontbijt wilde geven.

Futh loopt naar de uitgang en stapt naar buiten, in de zon, zich er al die tijd van bewust dat de barkeeper hem nakijkt.

De gevel van het hotel is naar het oosten gericht en baadt in het zonlicht. Als hij zich al lopend nog één keer omdraait moet hij zijn ogen half dichtknijpen, zo wit is het pleisterwerk.

Hij loopt langs de Rijn naar de pont. Bij de aanlegplaats blijft hij staan wachten, de boot maakt zich net los van de overkant. Hij pakt de koekjes die hij heeft meegenomen van zijn kamer en neemt er een. Hij is helemaal van slag omdat hij geen ontbijt heeft gehad. Die man achter de bar zei alleen maar: 'U moet gaan.'

Het pontje arriveert en Futh gaat aan boord. Hij leunt tegen de reling, eet het andere koekje en staart naar Hellhaus en zijn achtergrond van groene heuvels met hier en daar een rotspartij.

De pont vertrekt, de brede, grijsgroene rivier stroomt er vlug omheen en onderdoor.

Voor het eerst in jaren draagt Futh een korte broek. Hij haalt de zonnebrandcrème uit zijn rugzak en smeert zijn witte benen in, zijn onderarmen en het driehoekje blote borst waar hij zijn twee bovenste knoopjes heeft opengelaten. Het is een korte overtocht, hij heeft zijn nek nog maar nauwelijks ingesmeerd of ze zijn al aan de overkant.

Futh begeeft zich op weg met zijn uitgeprinte routebeschrijving. Hij stapt flink door en geniet van de lichaamsbeweging, het lichamelijk actief zijn, de schone, frisse lucht en het geluid van takjes die knappen onder zijn voeten. Hij volgt de rivier, die eerst een bocht maakt in westelijke richting. Hij loopt met de hitte van de zon in de rug, zijn wandelschoenen verzamelen stof op het droge pad.

Zijn laatste paar wandelschoenen was speciaal aangeschaft voor dat reisje met zijn vader. Ze waren het niet gewend samen lange afstanden te wandelen. Hij had zijn vader nog nooit met wandelschoenen aan gezien. De schoenen van Futh waren aan de grote kant, zelfs met twee paar dikke sokken erin, alsof het de bedoeling was dat hij er nog jaren op zou lopen, maar hij heeft ze daarna waarschijnlijk nooit meer aangehad en tot voor kort heeft hij ook nooit meer een ander paar gekocht.

Deze nieuwe wandelschoenen heeft hij pas een paar dagen geleden aangeschaft. De dame in de winkel zei: 'U kunt ze het beste eerst thuis inlopen en met kleine wandelingetjes buiten de deur beginnen, en dan langzaam de afstand opbouwen.' Maar dat heeft Futh niet gedaan. Hij heeft de schoenen in zijn koffer gedaan met het prijskaartje er nog aan.

'Je moet uitkijken,' zei zijn vader, toen ze langzaam en voorzichtig een steile wal afdaalden, 'met vrouwen, want voor je het weet ben je getrouwd, en komen er kinderen, en dan is het uit met de pret.'

De twaalf jaar oude Futh, op die steile wal, probeerde gestaag af te dalen en hield zich goed vast aan het gras en wat lage takken, maar die lieten los en vielen met hem mee terwijl hij verder naar beneden hobbelde en gleed.

'We kunnen best zonder haar,' zei zijn vader toen ze verderliepen. Maar Futh wist dat elke vrouw die zijn vader meenam naar hun hotelkamer een substituut voor haar was. Sommigen leken zelfs op haar. En Futh, die die vrouwen de badkamer binnen zag gaan en die hen midden in de nacht in de spiegel kon zien, begeerde ze allemaal.

Het zou enige jaren duren voor Futh met een meisje naar bed ging, en nog meer jaren voor hij Angela ontmoette, maar zelfs toen waren het vaak die vrouwen waar hij aan dacht als hij klaarkwam.

Hij had Angela ontmoet bij een tankstation langs de snelweg. Het was op een zondag en hij had bij zijn vader geluncht. Zijn vader woonde inmiddels niet meer bij zijn tante en had een eigen flat. Dat was nog geen uur rijden vanwaar Futh woonde, maar Futh kon toen nog niet rijden. Hij was erheen gelift. Zijn vader had hem teruggebracht tot aan dat tankstation, ongeveer halverwege. Daar zou Futh wel iemand kunnen vinden met wie hij verder naar huis kon rijden.

Futh haalde een kop koffie uit een automaat en ging

toen buiten staan, bij de oprit, met zijn duim in de lucht. Het was nog niet laat, maar het was winter en het begon al donker te worden en het regende. Auto na auto reed hem voorbij terwijl het steeds harder begon te regenen, maar uiteindelijk remde een kleine auto af en bleef een eindje voorbij hem staan. Hij haastte zich erheen en keek door het raampje naar binnen. De vrouw achter het stuur had het lichtje aangeknipt en boog zich opzij om het portier open te doen, maar Futh herkende haar nog niet.

'Waar moet je heen?' vroeg ze. Hij zei waar hij woonde waarop zij zei: 'Dat is niet ver bij mij vandaan. Ik kan je wel afzetten.' Futh stapte opgelucht in en trok het portier dicht.

De geur van zijn eigen natgeregende jas mengde zich met de sigarettenrook die de auto vulde. Futh rookte zelf niet, maar soms vond hij de geur van sigarettenrook bijna pijnlijk prettig.

'Ik ben Angela,' zei ze.

'Zo heet mijn moeder ook,' zei Futh, die zijn gordel omdeed.

Angela knipte het lichtje weer uit en zette de aanjager aan. Terwijl ze invoegde op de donkere snelweg bestudeerde Futh haar nauwlettend van opzij. Hij had het gevoel dat ze op een of andere manier iets bekends had en probeerde erachter te komen wat dat was.

Zijn natte haar drupte in zijn gezicht en van achteren in zijn nek. Hij zag een handdoek bij zijn voeten liggen, boog zich voorover, zei: 'Vind je het goed als ik...' en toen ze keek en haar mond opendeed om iets te zeggen had hij de handdoek al gepakt en droogde er zijn gezicht en zijn haar en zijn nek en zijn keel mee af.

Toen ze weer voor zich keek, schoot hem te binnen waar hij haar van kende. Op zijn eerste dag op de middelbare school was hij verliefd geworden op een meisje uit een andere brugklas. Ze had hem nooit zien staan en ze hadden nooit een woord gewisseld, behalve de allereerste keer dat hij haar zag, toen hij haar in de weg had gestaan op de trap en ze zich langs hem heen drong en iets zei als 'goddomme' of 'godverdomme'. Met haar geïrriteerde gezicht vlak voor zijn neus had ze hem recht aangekeken en met een lichte gloss op haar lippen zoiets gezegd als 'goddomme' of 'godverdomme'. Hij had melding gemaakt van het incident in zijn dagboek, en erbij gezet dat ze naar suiker rook. Ze had nooit bij hem in de klas gezeten maar hij ving geregeld een glimp van haar op bij het schoolhek, in de aula, op de gang en soms – door een raam in het klaslokaal – op het sportveld.

Hij was erachter gekomen hoe ze heette. Soms liep hij achter haar aan naar huis en bedacht hij alvast wat hij die avond in zijn dagboek zou schrijven: 'Angela droeg een rode trui en een grijze rok en had haar haar in een paardenstaart.' Of: 'Angela droeg een witte blouse en een grijze broek en haar haar was korter.'

Kenny – die altijd vriendinnetjes had gehad, soms meer dan een tegelijk, op de lagere school al – zou naar haar gefloten hebben om haar te laten omkijken, om haar te laten glimlachen of op zijn minst te zorgen dat ze hem zag. Hij zou met haar gepraat hebben, haar aan het lachen hebben gemaakt. Maar Futh was

Kenny niet. Hij hield haar in het vizier maar hield ook afstand, als een detective. Hij was zo op haar gefocust dat hij nergens anders oog voor had en niet oplette waar hij heen ging. Toen Angela haar huis binnenging bleef hij staan en keek om zich heen. De wijk kwam hem niet bekend voor en hij vroeg zich af waar hij was. Hij wilde zo snel mogelijk naar huis om in zijn dagboek te schrijven, draaide zich om en probeerde dezelfde weg terug te volgen, maar slaagde er slechts in om nog verder te verdwalen. Hij wou dat hij regelrecht van school naar huis was gegaan.

In de examenklas ging Futh naar een open dag van de plaatselijke universiteit en bezocht hij de faculteit voor techniek en natuurwetenschappen. Hij zat in een collegezaal naar de nek van Angela te staren in plaats van naar de persoon die iedereen welkom heette en een inleidend praatje afstak, toen hij in zijn ooghoek iets zag bewegen. Toen hij opkeek zag hij Kenny, die naast hem kwam zitten. Futh had Kenny jaren niet gezien en zag dat hij in bepaalde opzichten veranderd was – er was een stukje van een van zijn voortanden gebroken en hij had een neuspiercing; hij zei dat hij de piercing zelf had aangebracht. Maar in andere opzichten was hij nog dezelfde gebleven – hij had een beetje een buikje, en hij had motorolie aan zijn vingers.

'Dus hier zit je,' zei Kenny, alsof Futh degene was die was weggegaan. 'Mijn moeder zei al dat je hier zou zijn. En ze zei dat jij mijn oude kompas had. Ken je haar?' Futh wist even niet wie hij bedoelde, maar toen realiseerde hij zich dat Kenny hem vast naar

Angela had zien staren. Hij voelde een pesterijtje aankomen.

'Ik ken haar van school,' zei Futh.

Nu keek Kenny ook naar haar. Het was net of Angela merkte dat ze bekeken werd, want ze draaide zich om en zag Kenny naar haar kijken. Futh keek gauw een andere kant op.

Het praatje was afgelopen en iedereen verliet de collegezaal en bleef in groepjes in de hal staan napraten. Futh zag Angela bij haar vriendinnen weglopen en op hen afkomen. Ze kwam naast Futh staan, keek Kenny aan en vroeg: 'Ken ik jou?'

'Hij kent jou,' zei Kenny, en hij wees naar Futh.

Angela wierp een blik op Futh en keek toen weer naar Kenny. 'Ik ken hem niet.'

'Ik zit op dezelfde school als jij,' zei Futh.

'O ja?' zei Angela.

Futh knikte. 'In een parallelklas.'

'Ik herken je anders niet,' zei ze.

Daar keek Futh niet verbaasd van op. Even later liep Angela weg. Futh keek op zijn programma om te zien waar hij nu heen zou gaan. 'Je mag mijn kompas wel houden,' zei Kenny, 'ik heb toch een nieuwe', en toen Futh weer opkeek merkte hij dat Kenny ook was doorgelopen.

Kenny ging uiteindelijk niet naar de universiteit, en toen Futh na de zomer scheikunde ging doen, kwam hij tot de ontdekking dat Angela ook niet terug was gekomen. Hij zag haar pas weer toen ze hem oppikte bij dat tankstation.

In de auto herinnerde hij haar aan hun ontmoeting op die open dag.

'Dat kan ik me niet herinneren,' zei ze.

'Herinner je je mij dan nog van school?' vroeg hij.

'Nee,' zei Angela.

'We zaten in hetzelfde jaar.'

'Ik kan me jou niet herinneren,' zei ze.

'Misschien herinner je je mijn vader nog,' zei hij. 'Futh, de scheikundeleraar.'

Maar nee, zei ze, en ze schudde haar hoofd, die herinnerde ze zich ook niet.

'Nou ja, hij is inmiddels met pensioen.'

Inmiddels was het zo hard gaan regenen dat Futh nauwelijks kon zien waar ze reden. Angela tuurde door de voorruit, zette de ruitenwissers in de snelste stand en liet de aanjager nog harder loeien. Ze reed iets te hard naar de zin van Futh.

'Ben je een weekendje weggeweest?' vroeg hij aan haar. 'Kom je van ver?'

'Nee,' zei ze, 'ik ben alleen naar die parkeerplaats gereden, ik had daar met mijn vriend afgesproken.' Een ogenblik later voegde ze eraan toe: 'Die parkeerplaats is ongeveer halverwege zijn huis en het mijne. Daar ontmoeten we elkaar altijd. Hij is getrouwd, dus we kunnen niet bij hem thuis afspreken, en ik woon bij mijn moeder en die vindt het niet goed dat ik met hem omga, dus daar kan het ook niet.'

Ze reden misschien een paar kilometer door zonder dat een van hen iets zei, maar toen zette Angela de auto opeens in de berm en drong het tot Futh door dat ze huilde. Ze deed het nogal zachtjes, hij vroeg zich af wanneer het begonnen was. Hij wist niet wat hij moest doen. 'Gaat het?' vroeg hij.

Ze probeerde de hele tijd iets te zeggen, maar Futh verstond haar niet omdat ze maar bleef huilen. Er waren geen tissues in de auto, maar er was wel die handdoek, hoewel hij een beetje vochtig was. Hij hield hem aan haar voor. Ze aarzelde even maar nam hem toen aan, hield hem tegen haar gezicht en begon nog harder te huilen.

Futh keek naar de voorruit – de ruitenwissers moesten hun uiterste best doen om de stortregen bij te houden – en uiteindelijk zei ze: 'Volgens mij heeft hij een ander.' Toen Futh even niets zei, voegde ze eraan toe: 'Ik bedoel niet zijn vrouw, ik bedoel, volgens mij ben ik niet de enige andere vrouw in zijn leven. Ik zit er gewoon op te wachten dat hij een keer tegen me zegt dat hij genoeg van me heeft.'

Futh zat een beetje onbeholpen naast haar. Kenny, dacht hij, zou onwillekeurig weten wat hij nu moest doen. Kenny zou een arm om haar heen slaan en iets zeggen waar ze wat aan had. Maar wat zei je in zo'n situatie? 'Het komt allemaal goed. Misschien is het wel het beste zo. Je vindt wel iemand anders.' Maar Futh was Kenny niet.

Even later keek Futh in zijn tas en vond hij een doosje pepermuntjes. Hij maakte het open en bood haar er een aan. Ze schudde het hoofd zonder echt te kijken. Hij zocht opnieuw in zijn tas, vond een sinaasappel en bood haar die aan. Ze keek van de sinaasappel naar hem en toen moest ze lachen. 'Nou, doe die dan maar,' zei ze.

Futh pelde de sinaasappel en Angela nam de helft aan die hij haar aanreikte. 'Weet je,' zei ze, 'ik herin-

69

ner me je vader nog wel. Hij was wel oké', en ze deed een sinaasappelpartje in haar mond. 'Een beetje saai,' voegde ze eraan toe.

Toen de sinaasappel op was veegde Futh zijn vingers af aan de handdoek en startte Angela de motor weer, waarna ze verder reden.

Toen ze bij een afslag aankwamen, gaf Angela richting aan. 'Het is de volgende afslag,' zei Futh.

'Daar is een ongeluk gebeurd,' zei Angela. 'Als we hier doorrijden staan we straks uren in de file. Ik neem een andere weg.'

Ze namen een andere weg, maar later, toen ze hem had afgezet en weer was weggereden, zat Futh alleen aan zijn keukentafel en wou hij wel dat ze gewoon de snelweg hadden genomen en dat ze in die file terecht waren gekomen. Dan zou hij nu nog met Angela in haar kleine, warme auto hebben gezeten.

Na een paar uur lopen beginnen de nieuwe wandelschoenen van Futh te knellen. Hetzelfde was gebeurd in die vakantie met zijn vader, die er aan het eind van de eerste dag bij was gaan zitten en gezegd had: 'Ik ben op. We gaan niet meer wandelen.' Futh had niet geklaagd. In plaats daarvan hadden ze, afgezien van één dag dat ze op familiebezoek gingen, de rest van de week wat rondgehangen tot de vader van Futh, aan het eind van elke dag, uitging en Futh naar bed ging, elke avond iets eerder.

Futh gaat op een bankje zitten. De hete latjes roosteren de onderkant van zijn bovenbenen. Hij zoekt in zijn rugzak naar een pakje drinken, maar ontdekt dat hij al opheeft wat hij bij zich had. Tegelijkertijd bedenkt hij dat hij vergeten is zijn gezicht in te smeren en dat hij eigenlijk een hoed zou moeten dragen. Hij brengt wat factor 50 aan en smeert het uit waar de schedel door zijn dunne haar te zien is. Zijn huid is al zalmroze en gevoelig. Hij wrijft de rest van de crème in zijn handen en ziet in zijn ene handpalm het litteken, nu niet meer dan een bleek streepje.

Dat litteken heeft hij nog van Cornwall. Daar was hij met zijn ouders op het klif. De vakantie was net begonnen, het was de zomer dat hij naar de middelbare school ging, de zomer van de hittegolf. Ze zaten een week in een caravan en iemand had tegen hen gezegd dat als je de ramen en de rolgordijntjes maar dichthield, het binnen geen oven werd. Rond het middaguur kwamen ze van de zon in de relatieve koelte van de donkere caravan, en dan aten ze wat en werd er gerust voor Futh weer naar buiten mocht in de brandende hitte.

Ondanks de waanzinnige temperaturen stond er op het klif nog een briesje, zodat je er ongemerkt verbrandde. Ze hadden gepicknickt. Zijn moeder had sandwiches gemaakt en zijn vader en hij hadden samen een hartige taart gegeten uit een papieren zak. Zijn vader had een fles Pomagne geopend, maar hij was de enige die wilde. Er waren ook sinaasappels, maar alleen zijn moeder had de moeite genomen er een te pellen. Na afloop ging ze op haar rug in het gras liggen en deed ze haar ogen dicht. Haar wijnvlek was te zien onder het bandje van haar bikinitopje. Ze rook naar zonnebrandcrème.

Zijn vader weidde uit over de vuurtoren en schipbreuken in de achttiende eeuw. 'Natuurlijk,' zei zijn
vader, 'vergingen er nog steeds schepen nadat de
vuurtoren gebouwd was.' Hij sprak over het plunde-
ren van de wrakken, en over de lichamen die aan-
spoelden en die, zei hij, tot het begin van de negen-
tiende eeuw een naamloos graf hadden gekregen in de
duinen, in niet-gewijde grond.

Hij vertelde dat iedere toren zijn eigen, kenmerkende lichtsignaal had. 'Deze toren,' zei hij, de blik strak
op de wazige horizon gericht, 'flitst elke drie seconden en is van vijftig kilometer af te zien. Als het mist
gebruiken ze de misthoorn.' Futh keek naar de vuurtoren en vroeg zich af hoe dat mogelijk was – dat er
onafgebroken voor gevaar werd gewaarschuwd, dat al
die veiligheidsmaatregelen waren genomen, en dat
er toch nog altijd schepen vergingen.

Zijn vader praatte door.

Futh stond op, strekte zijn benen en liep weg over
het kurkdroge gras, op zoek naar schaduw, hoewel er
nergens enige schaduw te bekennen was, en in de
hoop op nog iets meer wind. Het liefst zou hij gewoon
blijven lopen. In zijn hand hield hij de parfumhouder
van zijn moeder, een verzilverde vuurtoren, die hij uit
haar tasje had gehaald. Het was een antieke, een erf-
stuk van de Duitse grootmoeder van zijn vader.

Futh haalde het glazen flesje uit de houder. Hij zou
er graag aan ruiken, de geur van zijn moeder opsnuiven, maar hij mocht de stop er niet afhalen.

Hij herinnerde zich nog het bezoek aan de flat van
zijn opa in Londen. Zijn oma was er niet meer en de

vader van Futh had de vuurtoren gekregen. De hele tijd dat ze bij hem waren had zijn opa ermee zitten spelen, met dat zilveren ding dat hij nooit eerder gezien had. Af en toe stopte hij het in de zak van zijn pyjamajasje, maar dan haalde hij het er meteen weer uit. Hij leek ergens over na te denken. Eindelijk zei hij: 'Je hebt mijn broer Ernst nooit ontmoet, of wel?' Hij had het tegen zijn zoon.

'Nee,' zei de vader van Futh, 'nog nooit.'

'Het zou best kunnen dat hij nog leeft.'

'Zou kunnen, ja.'

De opa van Futh stak zijn hand uit, met de verfijnde zilveren vuurtoren erin. 'Deze is van mijn moeder geweest,' zei hij. 'Jij moet hem aan Ernst geven.' Hij hield zijn hand uitgestoken tot de vader van Futh de vuurtoren had aangenomen, waarna de opa van Futh, schijnbaar uitgeput, zijn ogen dichtdeed.

Buiten, in de auto, gaf de vader van Futh de vuurtoren aan zijn moeder, die de houder en het flesje dat erin zat bewonderde, de geur goedkeurde en wat op haar polsen en in haar hals aanbracht. De auto, die vanuit de flat nog te zien was, vulde zich met de geur van viooltjes.

Futh, op het klif in Cornwall, met de zilveren vuurtoren in zijn ene en het flesje met de stop in zijn andere hand, liep weer terug naar zijn ouders. Zijn moeder lag nog steeds met haar ogen dicht, haar gezicht naar de zon. Zijn vader keek uit over zee. Futh hoorde hem zeggen: 'De misthoorn loeit om de dertig seconden.'

'Weet je wel,' zei zijn moeder, 'dat je me stierlijk verveelt?'

Het was even stil, maar toen begon zijn vader zwijgend de boel in te pakken. Hij knalde het deksel van de koelbox dicht en bleef naar zijn vrouw staan kijken. Futh zag de meeuwen vechten om de restanten van hun lunch, en toen keek hij naar zijn hand en zag hij dat het flesje kapot was. Hij had een diepe snee in de muis van zijn hand. De vluchtige inhoud van de vuurtoren prikte in zijn wond, sijpelde tussen zijn vingers door en drupte op zijn schoenen, en de geur steeg op als miljoenen ballonnetjes die tegelijk de lucht in gingen.

Nog een hele tijd daarna bracht hij zijn bezeerde hand naar zijn neus om te kijken of zijn handpalm nog naar viooltjes rook.

Hij wordt wakker op het bankje met zijn kin op zijn borst. Als hij zijn hoofd optilt en om zich heen kijkt, doet zijn nek zeer. Hij staart enige tijd naar de onbewolkte hemel, kijkt dan op zijn horloge en raadpleegt zijn routebeschrijving en de kaart. Dan komt hij in de benen en stapt hij stevig door naar een dorp verderop. Hij vergaat van de dorst.

Bij de eerste huizen is het stil. Hij stelt zich echtparen en gezinnen voor die samen zitten te lunchen of na de lunch een tukje doen, tot het buiten weer wat koeler wordt. Hij benijdt ze hun maaltijden, hun banken, hun koele interieurs. Hij bedenkt dat hij ergens zou kunnen aankloppen en om een glas water vragen, en stelt zich voor dat hij dan wordt uitgenodigd om binnen te komen en aan te schuiven aan een tafel waar de lunch nog niet is afgeruimd. Hij ziet een tuinhekje openstaan, loopt het pad op naar de deur en klopt aan. Hij wacht, maar er komt niemand.

Even voorbij de huizen is een winkel. Door de ramen ziet hij dat ze er gekoelde drankjes verkopen, maar de deur is op slot en er staat niemand achter de toonbank. Het bordje dat achter de deur hangt, realiseert hij zich, betekent 'GESLOTEN'.

Verderop is een café, dat open is, althans de deur staat open. Hij gaat naar binnen. Het café is leeg – geen klanten aan de tafels, niemand achter de bar. Er is wel van alles te drinken achter de bar – pompen vol koel bier, koelkasten vol koude flessen, ijsemmers met gekoelde wijnflessen. Hij staat daar te kijken naar de drankjes die hij zou willen bestellen en roept: 'Hallo?' Hij roept zowel in het Engels als in het Duits: 'Hallo? Hallo?' Maar niemand hoort hem, of althans er komt niemand. Hij overweegt even om zelf iets te pakken en geld achter te laten, maar als hij dichterbij komt ziet hij een hond liggen, tussen hem en de bar in, een grote hond die Futh eerder niet had opgemerkt, of misschien wel, maar misschien had hij gedacht dat het iets anders was, een kleedje. De hond slaat een oog op.

Futh gaat weer weg, naar buiten, de zon in, en loopt verder langs de huizen. Daar is iemand, ziet hij nu, een man die in zijn tuin aan het werk is. Futh blijft staan en vraagt of hij een glas water kan krijgen. De man ziet de kaart die Futh in zijn hand heeft en vraagt in het Engels waar hij vandaan komt en waar hij naartoe gaat. Futh vouwt de kaart open en laat het hem zien. 'Nou,' zegt de man, 'dan gaat u de goeie kant op.'

De vinger van Futh gaat steeds hoger langs de Rijn, steekt de rivier over en zakt aan de andere kant weer af, het ene vierkantje na het andere, tot hij in Hellhaus is.

'U logeert in het hotel?' vraagt de man.

Futh beaamt het. 'Het is een prima hotel,' voegt hij eraan toe, 'hoewel mijn kamer niet helemaal schoon was, en de badkamer een beetje hokkerig, en ik geen ontbijt kreeg.'

'Wacht hier,' zegt de man. Hij loopt weg met zijn tuinhandschoenen, verdwijnt in huis en komt even later tevoorschijn met een plastic kinderbeker halfvol lauw water, die hij aan Futh overhandigt. Futh drinkt hem leeg en bedankt de man, blijft nog even staan maar loopt dan weer verder.

Halverwege de middag begint de hitte wat af te nemen. Met de routebeschrijving in de hand blijft Futh even staan uitkijken over de rivier, die hier op zijn smalst en zijn diepst is, met een hele sterke stroming. Hij zoekt de sirene, een enorm, in brons gegoten naakt. Pas nu hij stilstaat, voelt hij hoeveel pijn zijn voeten doen.

De laatste anderhalve kilometer loopt hij in een rustig tempo. Hij komt in het stadje aan en gaat bij het hotel voor die nacht meteen op de stoep zitten om de veters van zijn stoffige schoenen los te maken. Als hij de schoenen voorzichtig van zijn voeten trekt, komt met enig kreunen de geur van hete sokken vrij. In de wol van de sokken is bloed gesijpeld, en zowel zijn hakken als zijn kleine tenen doen zeer.

Hij gaat naar binnen, spoort de eigenaar op en

krijgt de sleutel van zijn kamer, die op de begane grond is, met openslaande deuren die uitkijken op een rozentuintje. Hij strompelt naar de badkamer, wast zijn voeten in de wastafel en bet de zere plekken met een spons. Het bad is uitnodigend, maar hij is te moe. Hij trekt zijn pyjama aan en gaat in bed liggen. Hij probeert niet eens te lezen maar doet meteen het licht uit.

Iets anders waarvan hij weet dat het Angela irriteerde was de uitdrukking op zijn gezicht als ze thuiskwam en naar sigarettenrook stonk. In het begin had hij niet het minste bezwaar gemaakt als hij dacht dat Angela gerookt had. Hij vond de geur zelfs wel aangenaam. Maar toen ze eenmaal probeerden een kind te krijgen stoorde hij zich er wel degelijk aan als ze thuiskwam en naar sigarettenrook stonk, als Angela – die beweerde dat ze niet rookte en altijd op de proppen kwam met een stinkende personeelskantine, of een pub waar ze geweest was, of een vriendin die in haar auto had gerookt – naar rook smaakte als hij haar kuste. Hij zou willen dat ze op zijn minst wat pepermunt at voor ze naar huis ging. Tegen het eind van hun huwelijk begon het hem steeds meer op te vallen. Hij veronderstelde dat ze ongelukkig was en dat het roken haar op een of andere manier steun gaf.

Dat ze een kind probeerden te krijgen gaf op zich al de nodige spanning. Er volgde een reeks zwangerschappen, maar elke keer verloor ze het kindje. En elke keer beschuldigde ze hem ervan dat hij haar weer veel te snel tot een nieuwe poging had overgehaald, hoe lang ze ook gewacht hadden. Hij herinnerde haar eraan hoe oud ze was. 'Zoveel tijd hebben we niet meer,' zei hij. Ze was dertig toen ze elkaar ontmoetten, maar vierenveertig toen ze voor de laatste keer zwanger werd, een paar maanden voor ze uit elkaar gingen.

Hij gaat op zijn ene zij liggen en dan op de andere, en is de hele tijd ongerust over insluipers die zich mogelijk in de tuin verstopt houden, achter de rozenstruiken, en die door de openslaande deuren naar binnen zullen komen zodra hij in slaap valt. Hij vraagt zich af hoe hard hij zou kunnen lopen. Hij begint al spijt te krijgen dat hij dat bad niet heeft genomen. Hij voelt zijn spieren stijf worden.

Hoofdstuk 6 – Stilettohakken

Vlak na het middaguur, op de dag na het onweer, gaat Ester hun eigen appartement binnen. Bernard heeft haar herhaaldelijk gewaarschuwd, maar ze heeft de deur toch weer open laten staan. Soms ontdekt Bernard dat hun deur niet op slot zit en leest hij haar de les om haar geheugen op te frissen. 'Dat is vragen om insluipers,' zegt hij.

Binnen ziet Ester dat ze de lichten ook heeft laten branden. Dat is ook zo'n slechte gewoonte van haar, dat ze het licht aandoet als ze een kamer binnengaat en vergeet het uit te doen als ze weer weggaat, zodat Hellhaus soms een zee van licht is.

Ze is klaar met haar werk voor die dag. Schoner gaan de kamers niet worden en ze verwacht geen gasten die middag.

In de slaapkamer gaat ze aan de kaptafel zitten en kijkt in de spiegel. Ze ziet de plooitjes in haar ooghoeken en bij haar mondhoeken, waar haar make-up is ingedroogd; haar kortgeknipte, zelf gebleekte haar is uitgegroeid, het model is eruit en een uitgroei van enkele centimeters is zichtbaar. Haar vergulde halsketting hangt in haar ondiepe decolleté en haar buikje in haar spijkerbroek rust op haar brede dijen als een warme kat die zich bij haar op schoot heeft genesteld.

Als meisje was ze indrukwekkend. Ze herinnert zich nog de uitdrukking op het gezicht van Bernard toen hij haar voor het eerst zag. Ze was eenentwintig, met een platinablond, ultrakort kapsel. Ze was slank en had een goed figuur, dat nog geflatteerd werd door de roze satijnen jurk die ze droeg voor haar verlovingsfeestje. De jurk was mouwloos met een lage rug en kwam tot net boven haar knieën.

Ze zat in haar stilettohakkenfase en had een verzameling in zwart, wit, zilver, roze, en in allerlei modellen. Ze bewaarde haar schoenen in de dozen waarin ze ze gekocht had, en had op elke doos een polaroidfoto geplakt van de schoenen die erin zaten. Maar toen ze Bernard ontmoette had ze de sloffen van zijn moeder aan.

Ida had Ester in de familie opgenomen zodra Conrad haar voor het eerst mee naar huis nam. Lang voor ze zich verloofden noemde ze Ester al haar schoondochter. Als Ester bij hen was, bracht ze vaak uren in de keuken door, waar ze Ida hielp met koken. Het was een vaste grap in de familie dat Ida Ester vaker zag dan Conrad.

Ida helpen in de keuken deed Ester denken aan Lotte, de au pair die ze als klein meisje altijd had geholpen met eten koken als haar moeder op reis was voor haar werk. Ester was dol op Lotte. Haar dierbaarste herinneringen waren dat ze met Lotte in de keuken was als er gekookt moest worden, en dat ze dan allerlei klusjes mocht doen zoals aardappelen schillen en bakplaten invetten.

Ester hield niet zo van koken, maar ze vond het wel prettig om bij Ida in de keuken te zijn en haar te assisteren, en terwijl ze zo samen aan het werk waren praatten ze.

Ida vertelde Ester over de onaangepaste jongen met wie ze verkering had gehad voor ze de man ontmoette met wie ze getrouwd was, de vader van Conrad en Bernard, en Ester vertelde Ida over een getrouwde man met wie ze een verhouding had gehad voor Conrad. Ida vertelde Ester hoe bang ze was geweest toen ze ontdekte dat ze in verwachting was van Bernard, terwijl ze nog niet met zijn vader getrouwd was, en Ester vertelde Ida dat ze één keer zwanger was geweest, toen ze met die getrouwde man was, en dat ze toen doodsbang was geweest en uiteindelijk niet in staat het door te zetten.

'Is dat heel erg?' vroeg ze aan Ida die rustig in een steelpannetje met jus stond te roeren.

'Je was nog jong,' zei Ida.

'Ik weet niet,' zei Ester, 'of ik überhaupt wel kinderen wil.'

'Je bent nog steeds jong,' zei Ida, terwijl ze het gas uitdraaide en het steelpannetje leegschonk in een juskom die ze naar de eetkamer bracht waar de mannen zaten te wachten.

Op de dag van het verlovingsfeest zat Conrad dronken te worden in de woonkamer en was Ester in de keuken bij Ida koffiebroodjes aan het glaceren met een schort voor en een paar sloffen van Ida aan de voeten in plaats van haar hoge hakken, die ze even had uitgedaan, toen er werd aangebeld. Er werden bloemen verwacht, verscheidene boeketten roze rozen voor het feest. Ester waste snel haar handen en zei: 'Ik ga wel even.'

Ze liep naar de voordeur en zag door het figuurglas de contouren van een man, met de zon in de rug. Ze had Bernard, de oudere broer van Conrad, die niet in de buurt woonde en zelden langskwam, nooit ontmoet, maar toen ze de deur opendeed herkende ze de ogen die haar aankeken, haar in zich opnamen, en de mond die glimlachte en zijn lippen likte, en zelfs iets in de stem die zei: 'Jij bent vast Ester.' Ze wist zonder het te hoeven vragen dat dit Bernard was, die op haar afliep en toen langs haar heen liep en in de hal zijn jas en zijn schoenen uittrok, terwijl Ester de deur nog steeds openhield, waardoor de zon naar binnen scheen.

Ze had durven zweren dat het hun allebei op hetzelfde moment was overkomen. Toen hij, veel later, zei dat het voor hem pas daarna was gebeurd, was het net of zij een brandweerwagen of ambulance voorbij had horen komen toen hij voor de deur stond, terwijl Bernard beweerde dat hij die uren later had gehoord, toen ze met z'n allen buiten op het terras zaten. Het was voor hem gebeurd, zei Bernard, toen hij naar haar kuiten keek, slank en glad tussen de zoom van haar jurk en de enkelbandjes van haar hoge hakken.

Voor zijn bezoek die dag ten einde was, had Ester het met hem aangelegd en had ze haar verloving met Conrad verbroken. De eerste keer dat Bernard met haar had afgesproken, ontmoetten ze elkaar in het huis van Ida. Iedereen, zei Bernard toen hij haar binnenliet, was een dagje van huis. Aangezien hij niet meer thuis woonde en hij op een bank in de woonkamer sliep als hij een nachtje bleef, stelde hij voor om naar de slaapkamer van Conrad te gaan, maar dat wilde Ester niet. Bernard was er eerst niet voor te porren om het bed van zijn ouders te nemen, maar uiteindelijk ging hij toch akkoord. Na afloop, toen Bernard onder de douche stond, bekeek Ester de spulletjes op de kaptafel van Ida. Ze stond net een met parelmoer ingelegde haarborstel te bewonderen toen ze de voordeur hoorde dichtslaan. Ze kleedde zich snel aan en pakte haar handtasje, klaar om naar beneden te gaan. Maar ze wist niet goed wat ze moest en bleef eerst een poosje achter de dichte deur van de slaapkamer staan. Toen ze niets hoorde deed ze de deur open en liep ze naar de trap. Op dat moment kwam Bernard net de badkamer uit met een handdoek om zijn middel en kwam Conrad de trap op lopen. Ze zou geen moeite hebben gehad met een scène, maar Conrad keek alleen maar naar haar en naar Bernard en ging toen zonder iets te zeggen naar zijn kamer en dat was onverdraaglijk.

Ester sprak nog wel een keer met Bernard af bij het huis van Ida, maar ze ging niet meer naar binnen. Ester herinnert zich nog dat Ida opendeed, zich omdraaide om Bernard te roepen en toen zwijgend naar haar ging staan kijken tot Bernard eraan kwam en haar meenam. Ida zei niet: 'Jij hebt ook lef om hier nog te komen.' Ze zei niet: 'Je moest je schamen.' Ze zei niet: 'Ik word al misselijk als ik naar je kijk.'

Zelfs Bernard zei een keer tegen Ester: 'Wat voor vrouw doet zoiets?'

'Jij bent er ook nog,' hielp ze hem herinneren. 'Hij was jouw broer.'

'Nou, ik heb hem anders nooit gemogen,' zei Bernard, 'maar jij was met hem verloofd.'

Ester trekt een van de laden van haar kaptafel open en doorzoekt de inhoud die schots en scheef door elkaar ligt, tot ze, helemaal achterin, vindt wat ze zoekt – het parfum dat ze op hun trouwdag van Bernard heeft gekregen. Net als de houder die ze in de koffer in kamer zes vond, moet het houdertje een vuurtoren voorstellen, maar die van haar is van hout, onder het lichthuisje met zijn koepeldak niet vierkant maar rond, en ook minder gedetailleerd dan de zilveren houder. Maar het parfumflesje zit er nog wel in. Ze haalt het eruit. Aan een kant van het flesje, in reliëf, staat 'DRALLE'. Aan de andere kant zit een sticker waar 'VEILCHEN' op staat. In de stop is een duif gegraveerd. Ze heeft het parfum in geen jaren gedragen. Ze haalt de stop van het flesje, brengt het naar haar neus en snuift de geur van viooltjes op.

Bernard was snel met haar getrouwd, alsof hij bang was dat ze zich zou bedenken, dat ze weer terug zou gaan naar zijn broer, of door naar een andere man. En zij was met hem meegegaan naar het stadje waar hij woonde. Hij vond het prettig, daar was ze van overtuigd, om haar ver te houden van zijn broer en haar oude vriendjes en iedereen die ze kende, alsof eenzaamheid een garantie was dat ze hem trouw zou blijven.

Bijna twintig jaar later is Bernard nog goed geconserveerd. Hij is fors, maar hij doet aan fitness en gewichtheffen. Hij is trots op zijn uiterlijk. En hij verzorgt zijn lichaam ook goed. Hij ruikt naar kamfer, hij zweert bij die etherische olie die, onder veel meer, een ontsmettend, een vaatvernauwend, een verdovend en een prikkelend effect heeft, en die hij elke morgen bij zijn badwater doet. Hij kleedt zich goed, poetst geregeld zijn schoenen en heeft er metalen zoolbeschermers onder zodat ze langer meegaan en hij op de planken vloeren een klikkend geluid maakt.

Ze legt het houdertje met het flesje weer in de la en loopt naar het bed. Ze gaat aan haar kant zitten, trekt haar schoenen uit en gaat liggen. Haar hoofd zakt in het kussen, haar ogen gaan dicht. Haar ademhaling vertraagt en haar blote voeten trekken af en toe krampachtig. Ze valt snel in slaap.

In haar dromen hoort ze het trage, tergende begin van een tapdans, en als ze wakker wordt ligt er een deken over haar heen die haar ontblote buik en haar blote benen bedekt.

Hoofdstuk 7 – Gestoofde appeltjes

Futh slaapt slecht en wordt vroeg wakker, helemaal stijf en bezweet en in knellende lakens. Stram stapt hij uit bed. Ondanks het warme weer staat de radiator te loeien. Er hangt een verstikkende hitte in de kamer. Hij draait de verwarming uit en probeert de deuren naar het terrasje open te maken, maar die zitten op slot en er is geen sleutel. Hij trekt zijn vochtige pyjama uit en gaat weer in bed liggen. Hij is het niet gewend om naakt te slapen. Hij weet nog hoe naakt hij zich voelde toen hij voor het eerst met Angela mee naar huis ging en daar sliep zonder zijn pyjama.

Hij had in een café gezeten. Het was enige maanden geleden dat hij Angela gezien had, die keer dat ze hem vanaf dat tankstation een lift naar huis had gegeven. Hij was met wat mensen van zijn werk naar dat café gegaan, maar die waren allemaal al weg en hij zat daar nog alleen met een vrouw. Ze zaten op een hele zachte bank, waar hij zo diep in wegzakte dat hij er slechts met moeite uit kon komen. De zolen van zijn schoenen plakten aan de kleverige vloer. Ze zat dicht bij hem, die vrouw, ze leunde tegen hem aan. Ze had stroperige gloss op haar lippen en glanzende make-up op haar vettige huid. Onder de knopjes die glinsterden in haar oorlelletjes zaten littekens die de indruk wekten dat haar oorbellen een keer met geweld uit haar oren waren getrokken.

'Jij bent jong,' zei ze. Hij was dertig. 'En je bent niet getrouwd? Meestal kom ik hier getrouwde mannen tegen.'

'Nee,' zei hij. Hij dronk zijn cocktailglas leeg en boog zich naar voren om het op de glazen tafel voor hen neer te zetten. 'Ik ben niet getrouwd.'

'Jij moet nog wat te drinken hebben,' zei ze.

Futh ontworstelde zich aan de bank en ging nog een rondje halen, maar voor hij bij de bar aankwam, maakte tot zijn verrassing Angela zich los uit een groepje mensen en kwam op hem af.

'Ik ken haar,' zei ze toen ze bij hem aankwam. 'Jij kunt beter bij haar uit de buurt blijven. Jij kunt hier beter helemaal niet komen.' Ze nam hem mee naar de uitgang en hij liet het gebeuren zonder vragen te stellen. Ze waren bijna bij de deur toen die openknalde en een gedrongen man naar binnen stormde en zich met een boze blik op Futh en Angela langs hen heen drong. Hij liep regelrecht op de glimmende, kleverige vrouw af die achter in de kroeg in die bank hing, trapte tegen het glazen tafeltje dat voor haar stond, zodat de cocktailglazen wankelden, en riep: 'Waar is hij? Waar is hij godverdomme?' Maar Futh stond al bijna buiten. De man begon andere mensen lastig te vallen, die achteruitdeinsden. De vrouw op de bank bleef aan haar glas nippen en chips eten.

Futh stond buiten op de stoep met Angela. Zijn

hart bonsde. 'Mijn jasje hangt nog binnen.' Het lag over een leuning van de bank. Maar er zat niets in de zakken – hij had zijn portemonnee in zijn hand – en het was niet koud buiten. Hij hoorde de man binnen nog schreeuwen. Hij hoorde glazen sneuvelen.

'Je kunt maar beter wegwezen,' zei Angela.

'Jij kunt maar beter met me meegaan,' zei Futh, terwijl het geruzie steeds luidruchtiger werd en steeds dichterbij kwam.

'Je zou ook mee naar mijn huis kunnen gaan,' zei Angela.

Futh herinnerde zich dat Angela bij haar moeder woonde en zei: 'Dat lijkt me leuk. Het lijkt me leuk je moeder eens te ontmoeten.'

'Die zal haar slaappil inmiddels wel genomen hebben,' zei Angela. 'Die is tot morgenochtend niet wakker te krijgen.'

Er vluchtten steeds meer mensen naar buiten die naar alle kanten uitzwermden, in paren en in groepjes, en Futh en Angela, die nu ook wegliepen, zagen eruit als een willekeurig stelletje dat uit het café kwam.

Hij wordt weer wakker en heeft over Angela gedroomd. Hij weet dat hij zou moeten opstaan om het ontbijt niet mis te lopen, maar kan zich er niet toe zetten. Hij ligt daar naakt te doezelen en valt opnieuw in slaap, en hij ligt er nog als hij door zijn halfslaap heen iemand hoort aankloppen. Hij doet zijn ogen open maar weet niet zeker of er bij hem werd aangeklopt, en of er überhaupt wel werd aangeklopt. Al na enkele seconden hoort hij dat de deur van het slot wordt gedaan en ziet hij vanuit zijn bed de deurkruk naar beneden gaan. De deur gaat open en dan verschijnt een kamermeisje in de deuropening. Ze blijft als aan de grond genageld staan. Futh richt zich op een elleboog op en glimlacht naar haar. Het meisje zegt niets, maar werpt een blik op hem die hem ineen doet krimpen, en dan is ze weer weg en trekt ze de deur achter zich dicht.

Hij stapt uit bed, wast zich en trekt zijn korte broek en een schone polo aan. Dan gaat hij op sokken naar beneden om te ontbijten, met dikke pleisters op zijn pijnlijke hielen. De keuken is gesloten, maar er zitten nog mensen te eten en Futh weet enkele restjes te bemachtigen. Hij eet wat brood met kaas en steekt een hardgekookt ei bij zich voor de lunch.

Op elk tafeltje staat een vaasje met een gemengd boeketje, en hij herkent onder meer viooltjes. Hij haalt er een uit een vaasje en brengt het naar zijn neus, maar hij ruikt niks.

Toen Angela en hij in hun huis trokken had hij viooltjes in de tuin geplant. Hij had een enorme border aangelegd en toch rook je helemaal niets.

'Daar sta je nou met je viooltjes,' zei Angela. 'Je kunt ze niet eens ruiken.'

Om haar hun geur te laten ruiken, om te bewijzen dat ze wel degelijk een geur hadden, kocht hij een setje toiletartikelen voor haar die allemaal naar viooltjes geurden – badolie, shampoo, zeep, bodylotion, eau de toilette. Angela keek ernaar en zei: 'Ik ben je moeder niet.'

Aan het tafeltje naast hem zat een aantrekkelijke jonge vrouw alleen. Futh bedenkt dat zijn vader ten tijde van dat eerste reisje naar Duitsland ongeveer net zo oud moet zijn geweest als hij nu is. Futh kan zich er geen voorstelling van maken, dat zijn pas single geworden vader – dat hijzelf – in een hotelbar of in een café of gewoon in het voorbijgaan zomaar een gesprekje zou aanknopen met een vreemde vrouw dat ertoe zou leiden dat hij haar meenam naar zijn hotelkamer. Wat had zijn vader gezegd? 'Mijn zoon ligt in de kamer te slapen, maar er is ook een badkamer'? Futh stelde zich voor dat hij een praatje maakte met de jonge vrouw aan het tafeltje naast hem. Hoe was het mogelijk dat mensen zo snel na hun eerste kennismaking samen in een badkamer in een hotel belandden?

Hij heeft vrouwen altijd langzaam het hof gemaakt, daar gingen soms maanden overheen. Het begon met afspraakjes in een café of een wandeling in het park, en ging vandaar naar restaurants en kunstgalerieën en musea, maar vaak kwam het zelfs daar niet van. Met Angela was het anders. Zij was degene die hem mee naar bed nam. Na die eerste keer bij haar moeder thuis kwam ze bij hem en nam hij haar jas aan toen ze binnenkwam en vroeg of ze een kopje thee en een scone wilde, waarop ze met haar ogen rolde en zei: 'Ik ben je moeder niet.'

Af en toe, en altijd in bed, had ze het over die getrouwde man met wie ze een verhouding had gehad. 'Hij ligt altijd onder een auto of is iets uit elkaar aan het halen,' zei ze, nadat ze Futh gevraagd had of hij naar haar auto wilde kijken, om een koplamp te repareren die het niet meer deed, en ze te horen had gekregen dat hij dat niet kon. 'Jij zit helemaal in je hoofd. Hij is meer fysiek ingesteld. Hij kan alles met zijn handen.' Ze had het altijd over hem in de tegenwoordige tijd.

Futh heeft zijn ontbijt op, werpt nog een blik op de jonge vrouw aan het tafeltje naast hem en ziet dat ze gezelschap heeft gekregen van haar nogal grote vriend. Futh staat op en vertrekt.

Hij eet zijn hardgekookte ei in het bos en geniet van de schaduw. Hij weet nog hoe zijn vader de schaal van een gekookt ei zorgvuldig vergruisde en vertelde over het poeder, het eisurrogaat, dat hij als kind te eten had gekregen. 'Het was te doen,' zei hij. 'Je weet niet beter.'

Futh had er nogal tegen opgezien om een week alleen met zijn vader te zijn, maar, had hij bedacht, hoe erg kan een vakantie nou helemaal uitpakken? Uiteindelijk, ondanks de veerboot en de vrouwen in de badkamer en zijn vader die zei: 'We redden het best zonder haar', en dat soort dingen, had Futh het nog best leuk gevonden. Futh had een ei aangenomen van zijn vader en het even in zijn hand gehouden om de volmaakte vorm te bewonderen alvorens het naar zijn opengaande mond te brengen, en had gewild dat deze vakantie altijd zou duren, dat ze nooit meer naar huis zouden hoeven.

In de maanden tussen het besluit dat Angela en hij uit elkaar zouden gaan en zijn feitelijke verhuizing was Futh naar de parken en galerieën en musea gegaan waar ze met zijn tweeën nooit geweest waren, om haar niet voor de voeten te lopen. Hij ging naar het vogelverblijf, bekeek exposities, zat in cafés en voelde zich weer helemaal de puber op zijn klimrek in het donker, het moment voor zich uit schuivend dat hij naar binnen zou moeten.

Intussen pakte Angela zijn spullen in verhuisdozen en elke keer dat hij thuiskwam trof hij hogere stapels aan in het logeerkamertje waar hij de laatste tijd sliep.

'Kom me gezelschap houden,' had Gloria gezegd. Ze stond aan de andere kant van het hek in haar nachtpon. Ze kwam deze keer niet een vuilniszak weggooien, ze was zo naar buiten gekomen, naar waar hij op zijn klimrek zat, en Futh vroeg zich af hoe makkelijk ze hem vanuit haar huis kon zien. Hij had gedacht dat hij daar in het donker zo ongeveer onzichtbaar was. Hij vroeg zich af of ze had gezien dat hij naar haar keek.

Futh probeerde haar uitnodiging af te slaan, maar ze bleef bij het hek staan en haalde hem over om toch even bij haar te komen. Futh was ook alleen en hij had geen avondeten gehad. Hij stelde zich voor dat Gloria iets lekkers op tafel zou zetten, alleen voor hem. Hij stemde toe, klom naar beneden, klauterde over het hek en liep achter Gloria aan, over haar gazon en naar binnen.

Hij ging op een bank aan haar keukentafel zitten en keek toe terwijl zij iets te drinken klaarmaakte – ze deed ijsblokjes in twee glazen en voegde daar iets, een likeur, aan toe waardoor het ijs ging scheuren en schuiven. Ze nam de glazen mee naar de tafel, gaf hem er een en kwam naast hem zitten. Futh schoof naar het hoekje. Hij nam een slokje en wendde zijn gezicht naar het open raam, waardoor hij duidelijk zijn klimrek boven het hek zag uitsteken, onder een maantje dat achter de wolken nog net te zien was.

In de vensterbank stond een venusvliegenval, felrode blaadjes wijd open. Gloria zag hem naar haar plant kijken en zei: 'Wat een schoonheid, hè? Je vader vindt hem niet mooi, maar ik vind hem prachtig. Hij vangt elk klein insect dat voorbijkomt.' Futh boog zich naar voren en stak een vinger uit naar een van de bladeren om de voelhaartjes aan te raken en de val te laten dichtklappen, maar Gloria zei: 'Niet doen.' Hij trok zijn hand terug, pakte zijn glas weer en proefde nog een keer. 'Hij heeft een mot gevangen,' zei Gloria. Futh keek. Een van de bladeren was dichtgegaan en er zat iets in, pootjes en de rand van een vleugel staken tussen de haren naar buiten. Hij vroeg zich af hoe die plant dat voor elkaar had gekregen. Hij had zijn blik nauwelijks afgewend. Hij vond het jammer dat hij het niet gezien had.

Jaren later, als twintiger, zou hij een bezoek brengen aan Japan en zou hij in supermarkten, in de koeling, in plasticfolie gewikkelde zeedieren zien liggen die langzaam en vruchteloos hun poten bewogen en zou hij weer aan die mot in de venusvliegenval van Gloria moeten denken.

'Wat gaat er nu gebeuren?' vroeg hij.

'Over ongeveer een week,' zei Gloria, 'gaat dat blad

weer open. Wat er dan nog over is, waait weg.'

Terwijl Futh naar de mot keek, die zich aan het stijf dichtgeklapte blad probeerde te ontworstelen, voelde hij een vingertop in zijn hals en boven op zijn rug, onder zijn T-shirt. 'De zon heeft je wel te grazen gehad,' zei Gloria. Futh bleef stil zitten en keek naar buiten, naar het donker. Hij voelde de lichte aanraking en de warmte van haar vingertop op zijn huid, de lijn die ze getrokken had van zijn nek naar zijn rug, maar toen hoorde hij haar iets doen aan de andere kant van de keuken en besefte hij dat ze hem niet meer aanraakte, waarschijnlijk al een tijdje niet meer.

Gloria haalde nog wat ijsblokjes – ze kwam terug naar de tafel met de ijsblokjes in haar hand, smeltwater drupte van haar vingers – en de fles van wat het maar was dat ze dronken. Ze drong erop aan dat Futh zijn glas leegdronk en schonk hem nog een keer in. Toen ging ze zitten, keek ze hem aan, nam ze zijn gezicht in haar handen en zei: 'Ik zie je vader in jou.' Af en toe, terwijl ze zaten te drinken, gaf ze hem een klopje op zijn knie of streek ze over zijn haar. Toen er werd aangebeld schrok Futh. Gloria stond op en liep naar de voordeur.

Futh hoorde geen stemmen. Er was voor het huis een veranda met een tussendeur die Gloria waarschijnlijk had dichtgedaan voor ze de voordeur opendeed. Hij hoorde wel zware voetstappen de trap opgaan. Gloria kwam weer binnen. 'Jij mag hier eigenlijk niet meer zijn,' zei ze tegen Futh. 'Het is al lang bedtijd geweest.' Ze draaide zich om en zei voor ze wegging: 'Je komt er zelf wel uit.' Toen deed ze het licht uit.

Futh voelde zich een beetje misselijk, net als op een veerboot als alles onder zijn voeten deinde en schommelde. Hij ging staan, hield zich vast aan de tafel en ging weer zitten.

Enige tijd later zat hij daar nog steeds in het donker, toen hij iemand de trap af hoorde komen, door de hal naar de keuken. Hij verwachtte Gloria te zien binnenkomen en was helemaal van de kaart toen hij in plaats daarvan – hij rook de pub nog voor het licht aanging – zijn vader zag.

Zijn vader liep naar de koelkast en haalde daar een fles wijn uit, trok de kast ernaast open en pakte twee glazen. Futh drukte zijn verbrande rug tegen de muur. Zonder hem op te merken verliet zijn vader de keuken weer.

Futh luisterde naar de voetstappen van zijn vader die de trap opgingen. Hij verroerde zich niet toen hij de planken weer hoorde kraken en toen het bed, noch toen hij opnieuw de planken hoorde en toen de voetstappen op de trap en in de keuken.

Het licht in de keuken ging weer aan en daar was zijn vader. Hij liep naar een la onder het aanrecht en pakte een kurkentrekker. Toen draaide zijn vader zich om naar Futh en even keken ze elkaar aan zonder iets te zeggen. Zijn vader verbrak de stilte. 'Naar huis,' zei hij. Futh wachtte en zijn vader kwam iets dichterbij en zei: 'Nu.'

Futh stond op, schuifelde langs de bank en liep naar de achterdeur. Toen hij de tuin van Gloria in liep ging het licht in de keuken weer uit. In het donker zocht hij zich een weg tussen de plantenpotten en de afvalbakken door. Hij klom over het hekje, stapte in zijn eigen tuin, bukte zich en gaf over in het lege bloembed en op het pikzwarte gras.

Zijn vader heeft altijd de spot met hem gedreven omdat hij niet tegen alcohol kan, alsof hij dat zelf wel kon. Hij bespotte Futh omdat hij in de dertig was en nog niet kon rijden, en al veertig was geweest en nog steeds liftte. Toen Futh eindelijk rijles nam en slaagde voor het examen, bekritiseerde zijn vader hem omdat hij zo'n automobilist was die geen bal verstand van auto's had, die zonder benzine kwam te staan en die andere mannen zelfs nog betaalde om het lampje van een koplamp te verwisselen. En hij maakte zich vrolijk over het feit dat Futh de hele dag niets anders deed dan proberen papier naar appels te laten ruiken. 'Wat heeft dat nou voor zin?' zei zijn vader. 'Weet je dat je appels gewoon kan kopen?' Futh vertelde hem over de miljoenen minieme parfumflesjes waarvan de geur er over twintig jaar nog zou zijn. 'Echte appels,' zei zijn vader. 'Je kunt ze eten ook.'

De oudste herinnering van Futh is dat hij in de keuken onder de tafel zat te spelen, terwijl zijn moeder voor hem appeltjes aan het stoven was. Ze had de radio aan en neuriede mee terwijl ze de appels schilde en de klokhuizen verwijderde en de appels in stukjes sneed die ze in een pruttelende pan liet vallen. De keuken was vol muziek en zonlicht en een onvervalste appelgeur.

Hij herinnert zich dat hij Angela, nadat ze getrouwd waren, vroeg of ze een appelkruimeltaart kon bakken. De volgende dag trof hij haar in de keuken, waar ze appels aan het bakken was. Hij ging naast haar staan terwijl zij bezig was en vertelde haar over die herinnering aan zijn moeder, en dat de geur van appels hem aan haar deed denken, en hij zag haar kaak verstrakken. De taart was goed gelukt, maar ze had er nooit meer een gebakken.

Met pijnlijke voeten en zonder enige haast komt Futh eind van de middag bij zijn hotel aan. Hij loopt regelrecht door naar zijn kamer, waar zijn koffer op hem staat te wachten. Na een douche en een dutje gaat hij weer naar buiten, de milde avondlucht in, om in het stadje rond te kijken alvorens te gaan eten.

Hij komt langs een café met een terras, gaat daar even zitten, krijgt een onverwacht groot glas bier en kijkt naar de mensen die langslopen. De vrouwen die zijn vader, toen net in de veertig, meenam naar het hotel waren jong, in de twintig misschien. Maar Futh kijkt niet naar de jongere vrouwen, hij kijkt naar de vrouwen die in de dertig zijn, de leeftijd van zijn moeder toen ze wegging.

Op zijn twaalfde wilde hij naar New York zodra hij oud genoeg was. Maar toen hij in de twintig was, en hij overal heen zou kunnen gaan waar hij maar wilde, bezocht hij allerlei steden en landen, maar niet New York. Hij hield zichzelf voor dat dat was omdat hij niet van vliegen hield – meestal maakte hij busreizen – maar hij vloog wel naar Tokyo en Montreal. Hij ging pas naar New York toen hij Angela had ontmoet, die daar zelf een keer naartoe wilde.

In het vliegtuig, nog tijdens het opstijgen, kreeg hij

opeens allerlei levendige fantasieën, het toestel zou in brand vliegen of een van de passagiers zou een terrorist blijken te zijn en er zou geen ontsnapping mogelijk zijn. Hij voelde de angst opkomen waar hij in vliegtuigen altijd last van had, en hij probeerde een ontspanningstechniek die hij zichzelf van een bandje had aangeleerd. Hij keek naar zijn voeten, concentreerde zich erop, haalde langzaam en diep adem, liet alle spanning in zijn tenen los, en in zijn voeten, en hoger, zijn enkels, bleef langzaam en diep ademhalen, ontspande zijn kuiten en toen zijn knieën, nog altijd langzaam en diep ademhalend, zijn bovenbenen... Het was donker buiten het vliegtuig en sommige passagiers deden de lichtjes boven hun hoofd uit. Hij concentreerde zich op zijn buik, en op zijn ademhaling, begon zich zwaar te voelen, werd soezerig en viel in de steeds donkerder cabine in slaap.

Hij droomde dat hij een brief had gekregen van zijn moeder. Ze had haar nieuwe naam en adres opgeschreven zodat hij haar zou kunnen vinden, maar hoe ingespannen hij er ook naar keek, hij kon haar handschrift niet ontcijferen.

Hij deed zijn ogen open met het wanhopige besef dat hem iets van wezenlijk belang ontglipte. Angela zat naast hem een film te kijken en zei hoe laat het nu was. Futh draaide de wijzers van zijn horloge terug tot zelfs de datum versprong.

Ze maakten een rondrit door de stad, in een dubbeldekker met open dak, hoewel het boven vol zat en ze beneden moesten zitten. Ze keken door de ramen naar de drukte. Toen ze moesten wachten voor een stoplicht zat Futh te staren naar een vrouw die voor een etalage stond, wier gezicht hij in het glas weerspiegeld zag, een aantrekkelijke vrouw met grijzend blond haar. Heel langzaam, alsof ze een dier was dat zou kunnen schrikken, dat zou kunnen wegschieten, stapte hij uit de bus, liep op haar af en raakte haar arm aan, zodat ze zich naar hem omdraaide. Hij kon haar ogen niet zien door haar zonnebril en zag ook geen wijnvlek onder de hooggesloten kraag van haar jurk, en ze had nog geen woord gezegd of er kwam al een man tussenbeide, die aan Futh vroeg wat hij wilde. Toen Futh met stomheid geslagen bleef staan, pakte de man de vrouw bij een elleboog en liep met haar door. Futh keek hen na. Een eindje verder bleven ze weer bij een winkel staan. De man keek om naar Futh en de vrouw keek nu ook, ze deed zelfs haar zonnebril af, maar de afstand was inmiddels zodanig dat Futh haar gezicht niet duidelijk kon zien. Toch had hij zo'n gevoel dat zij het was.

Hij draaide zich om. Hij wilde Angela, die nog in de bus zat, wenken. Afhankelijk van de uitdrukking op haar gezicht zou hij eventueel willen voorstellen de rondrit verder maar te laten voor wat hij was, en hetzelfde te gaan doen: gewoon een eind lopen en winkels kijken. Maar Angela was er niet. De dubbeldekker was alweer opgetrokken en verdween aan de overkant van het kruispunt met Angela aan boord.

'Ik heb echt het idee dat ze het geweest zou kunnen zijn,' zei hij later, in het hotel, toen hij met Angela naar het restaurant liep. 'Ik had gewoon zo'n gevoel.'

'Dat zei je ook over die vrouw in Central Park,' zei

ze. 'En je had ook zo'n gevoel bij die vrouw in die deli-catessenzaak.'

Futh en Angela liepen het restaurant van het hotel binnen, Futh met een hand in zijn zak, waarmee hij de kleine zilveren vuurtoren omklemd hield. Hij nam de vuurtoren altijd mee als hij op reis ging, alsof het zijn Sint-Christoffel was.

Hij had hem ook meegenomen naar Duitsland, toen hij daar met zijn vader heen ging. De vuurtoren zat in zijn jaszak toen ze het wandelen hadden opge-geven en toen ze bij zijn oudoom Ernst op bezoek gingen. Futh had zijn opa wel over zijn broer gehoord, hij had aan de vader van Futh gevraagd om de zilveren vuurtoren die van hun moeder was geweest aan Ernst terug te geven. Futh kwam bij het huis van Ernst aan met de vuurtoren in zijn parka, in een geheime bin-nenzak – zijn vader had ook zo'n zak, waarin hij hun paspoorten en Duitse marken bewaarde, want hij vertrouwde het hotelpersoneel niet.

Ze wisten eigenlijk niet of Ernst nog leefde. Als hij nog leefde moest hij inmiddels een aardig eindje in de tachtig zijn. Noch wisten ze of hij dan nog in het huis van zijn ouders zou wonen, of dat huis er zelfs nog maar stond. Ze hadden niet gebeld voor ze op pad gingen. Hun hotel was dichtbij genoeg om op een dag heen en weer te rijden en ze gingen op de bonnefooi, zonder echt te verwachten dat ze Ernst inderdaad zouden aantreffen, gewoon om te kijken wat ze tegen-kwamen.

Ze waren er rond lunchtijd. Het huis stond er nog en was duidelijk bewoond, door iemand die het goed onderhield. Er stonden overal auto's, ze moesten een eind van het huis parkeren. De vader van Futh klopte op de voordeur en deed een stap naar achteren. Ze hadden het gevoel dat ze een eeuwigheid moesten wachten. In een raam boven zagen ze de vitrage bewegen. Ze stonden op het punt weer weg te lopen toen de deur eindelijk openging.

Futh had verwacht dat zijn oudoom op zijn opa zou lijken. Futh was acht geweest toen zijn opa overleed en herinnerde zich hem alleen als een zieke man, bleek en verschrompeld. Maar de man die voor hen stond was verrassend groot en stevig.

'Ernst?' vroeg zijn vader, en de man knikte. Zijn vader sprak Duits – hij begroette de man en stelde zich voor – en Ernst fronste weliswaar zijn wenkbrauwen, maar nodigde hem toch uit om binnen te komen.

Ernst nam hun jassen, hun twee parka's aan en liet hen voorgaan naar de woonkamer, die boven aan de trap was. Hij joeg de katten van de stoelen en ging koffie halen, en voor Futh een glas melk. Hij bleef nogal een tijdje weg. De katten kwamen weer van onder de meubels tevoorschijn, klommen weer op de stoelen en nestelden zich bij de gasten op schoot.

Ernst kwam terug, gaf Futh zijn melk, schonk de koffie in en begon in het Duits met de vader van Futh te praten. Futh kon het gesprek niet volgen en begreep pas na afloop, op de terugweg, wat er zo ongeveer gezegd was. Toen Ernst zich tot Futh wendde en in het Duits tegen hem zei: 'Je lijkt op mijn broer toen hij zo oud was als jij', keek Futh hem wezenloos aan. Ernst vroeg aan de vader van Futh: 'Spreekt hij geen Duits?'

Zijn vader zei van niet. 'Hij zou Duits moeten leren,' zei Ernst.

'Het was uw broer,' zei de vader van Futh, 'die zei dat we eens bij u langs zouden moeten gaan.'

'Heeft hij je ook iets voor mij meegegeven?' vroeg Ernst.

De vader van Futh nam een slok van zijn koffie en zei: 'Nee.'

Ernst schudde zijn hoofd. 'Ik neem aan dat je niet weet onder wat voor omstandigheden hij huis en haard verlaten heeft?'

Futh keek de kamer rond. Een paar kleine foto's op het dressoir, waaronder een van hemzelf, trokken zijn aandacht. Dus, dacht hij, zijn opa had toch naar huis geschreven, had in elk geval wat foto's gestuurd, en dat gaf hem moed, want hij veronderstelde dat zijn moeder dat dan misschien ook wel zou doen. Hij keek echter wat beter naar de foto van zichzelf en werd bekropen door het gevoel dat er iets niet klopte, zijn haar misschien. Opeens wist hij dat hij zich vergiste – het was een oude foto, en ernaast stond een soortgelijk portret van Ernst als jonge jongen. Futh besefte dat die andere foto niet van hem was, maar dat het een jeugdfoto was van zijn opa.

'Er was een meisje in het spel,' zei Ernst. 'Er was altijd een meisje in het spel, hij holde van de een naar de ander. Maar dit meisje bracht hij in de problemen. Je weet wel wat ik bedoel. Hij ging weg omdat hij dacht dat haar broers hem in elkaar zouden slaan.'

De reden voor zijn vertrek was voor zijn familie kennelijk geen grote verrassing. De verrassing was dat hij het handjevol kostbaarheden van zijn moeder meepikte. Die werden niet veel later per post teruggestuurd, met uitzondering van een parfumflesje in een zilveren houder.

'Dat heeft hij zeker aan je moeder gegeven,' opperde Ernst.

'Misschien,' zei de vader van Futh. 'Maar mijn vader had het nog in zijn bezit toen hij in de tachtig was. Mijn vrouw heeft het gekregen.'

'Dat had anders niet gemoeten,' zei Ernst. 'Dat ding was van mijn moeder, ik had het moeten erven. Het is geld waard. Het zou moeten worden teruggegeven.'

Een insect kroop over de tafel naar Ernst toe, die zich voorover boog, het zorgvuldig plette met zijn theelepeltje, het lepeltje aan zijn broekspijp afveegde en er vervolgens de suiker mee door zijn koffie roerde.

'Mijn vrouw en ik zijn uit elkaar,' zei de vader van Futh. 'Ik heb niet eens een adres van haar.' Na een ogenblik voegde hij eraan toe: 'Dat flesje is trouwens stukgegaan.'

Ernst leunde achterover in zijn stoel en keek naar Futh, keek hoe hij zijn volle, lauwe melk opdronk. Futh keek terug naar Ernst en voelde zich een beetje misselijk. Ernst wendde zich weer tot zijn vader: 'Als het niet kan worden teruggegeven, zou mijn broer mij schadeloos moeten stellen.'

'Ik ben bang dat uw broer is overleden,' zei de vader van Futh. 'Een paar jaar geleden.'

Ernst keek de vader van Futh langdurig aan en keek toen ook nog eens naar Futh, misschien overwoog hij

wel of er iemand anders over de brug zou moeten komen. Toen schudde hij zijn hoofd en dronk hij zijn
koffie, maar elke keer dat Futh opkeek, leek het wel of
Ernst hem zat op te nemen.

Na enige tijd zette zijn vader zijn lege koffiekopje
neer en zei: 'Nou, we moeten er weer eens vandoor',
en hij ging staan, zodat de kat van zijn schoot viel.
Futh probeerde hetzelfde te doen, maar deed het een
beetje onhandig en werd flink gekrabd.

Ernst ging hen voor de trap af. Bij de voordeur, aan
een haak, hingen de jassen van zijn bezoek. Hij pakte
ze, gaf de grote jas aan de vader van Futh en de kleine
aan Futh, die hem probeerde aan te pakken, maar
Ernst keek hem doordringend aan alvorens de jas los
te laten en zei: 'Je bent precies mijn broer.'

Futh volgde zijn vader naar buiten en draaide zich
om om te zwaaien en te zien of er nog naar hem gekeken werd. Het leek een enorme afstand naar de auto,
de vuurtoren, die opeens reusachtig aanvoelde in zijn
geheime binnenzak, bonsde onder het lopen voortdurend tegen zijn borst.

Futh drinkt zijn tweede megaglas bier op en bestelt er
nog een. Tegen de tijd dat hij dat opheeft, voelt hij
zich flink aangeschoten. Hij staat voorzichtig op en
loopt bij het tafeltje weg, de straat op. Op de terugweg
naar zijn hotel probeert hij een liedje te neuriën dat
zijn moeder altijd zo mooi vond, maar hij krijgt het
niet voor elkaar. Hij concentreert zich op zijn pogingen midden op het trottoir te blijven lopen, maar
telkens schraapt zijn rechterschouder even langs de

muur of valt de stoeprand weg onder zijn linkervoet.

Eenmaal in het hotel probeert hij uit alle macht in een rechte lijn naar de bar te lopen, waar hij vervolgens heel lichtjes blijft staan slingeren. Er hangt een geur van vochtige vaatdoeken en dryroasted peanuts waar hij misselijk van wordt. Hij gaat op een kruk zitten en bedenkt dat hij iets zou moeten eten.

Hij denkt aan Angela, die nu aan tafel gaat in hun huis, het huis waar hij niet meer zal terugkomen. Als hij teruggaat naar Engeland, gaat hij regelrecht naar zijn flat. Daar zullen al die verhuisdozen, met al zijn spullen erin, staan wachten om te worden uitgepakt. Angela gaat voortaan eten in wat van nu af aan haar huis zal zijn en hij in zijn flat. Hij vraagt zich af of ze de gewoontes van hun huwelijk aan zullen houden, of ze op hetzelfde tijdstip zullen gaan eten, het hoofdgerecht aan tafel en het toetje op de bank, en of ze dan naar hetzelfde programma zullen kijken. Hij stelt zich voor dat hij een boodschap naar haar seint vanuit zijn slaapkamerraam – flits-flits-flits – voor ze elk in hun eigen bed gaan liggen slapen.

Er staat een half opgedronken biertje voor hem. Hij kan zich niet herinneren dat hij het besteld heeft of dat hij met iemand gepraat heeft. Het lijkt er niet op dat hij ook eten heeft besteld. Hij heeft niet eens een menukaart. Er eet ook verder niemand en het lijkt erop of de tent zo gaat sluiten. Hij komt overeind van zijn kruk en gaat naar zijn kamer en bedenkt dat hij vergeten is te betalen voor de glazen bier die hij op dat terras heeft gedronken.

Hij gaat eerst naar kamer zes, maar bedenkt zich dan waar hij is. Eenmaal op zijn kamer realiseert hij zich hoe graag hij voor het naar bed gaan nog iets zou snacken. Als hij na een aantal glazen bier met honger thuiskwam, vroeg hij altijd aan Angela of zij een sandwich of zoiets voor hem wilde maken, waarop ze altijd zei: 'Ik ben je moeder niet.'

Hij trekt zijn pyjama aan en gaat in bed liggen. Hij wou dat er iemand was die hem wat warm eten kwam brengen.

Hoofdstuk 8 – Bedeltjes

Ester is nu al een halfuur wakker. Ze ligt de hele tijd naar Bernard te kijken, die naast haar ligt te slapen. Ze volgt zijn ademhaling. Hij ligt op zijn rug met zijn gezicht iets van haar afgewend, maar ze ziet zijn ogen opengaan, en ze hoort zijn ademhaling ook veranderen: hij wordt wakker. Hij draait zich op zijn zij, pakt zijn horloge van het nachtkastje, kijkt hoe laat het is en gaat rechtop zitten. Ester kijkt naar zijn brede, blote rug. Ze voelt de warmte van zijn lichaam, de warmte in de lakens aan zijn kant van het bed; ze kan de kamfer van gisteren ruiken.

Bernard gaat staan, loopt naar het raam, trekt de gordijnen open en kijkt naar buiten. Het is een mooie ochtend. Pas als hij zich afwendt van het raam kijkt hij naar het bed, en naar zijn vrouw, die naar hem ligt te kijken. Hij wrijft met zijn handen over zijn slaperige gezicht en gromt iets bij wijze van groet, waarna hij naar de badkamer loopt en de deur achter zich dichtdoet. Ester blijft nog een poosje liggen. Ze luistert naar het water dat in het bad loopt en hoort dan het geklots en gespetter waarmee Bernard in het bad stapt voor zijn rituele wassing.

Ze staat op en loopt naar haar kaptafel, gaat zitten en borstelt haar haar. Dan legt ze de parelmoeren haarborstel neer, pakt haar foundation en begint haar gezicht op te maken. Haar cosmetica ligt in een la bij haar sieraden, waarvan ze de meeste nooit draagt. Ergens in de wirwar van kettinkjes ligt een bedelarmband met een stuk of wat bedeltjes eraan: een hoefijzertje, een pump met open hiel, een 'E', een '21', een sneeuwvlok, een hartje.

Op de trouwdag van Ester en Bernard deed Ida haar best om Ester even alleen te spreken, wat ze uiteindelijk voor elkaar kreeg in de toiletten van het gemeentehuis. 'Je verliest allemaal glittertjes,' zei ze, en ze stak haar handen in de lucht en duwde met ruwe gebaren de haarspelden van Ester weer vast, die over haar schedel schraapten als de boeg van een schip dat vastloopt op de rotsen. Toen pakte Ida de pols van Ester en keek geringschattend naar de armband die ze om had, de bedelarmband die Ester bij haar eerste kerst in de familie van Ida had gekregen. De kleine verzameling zilveren bedeltjes had ze bij latere gelegenheden cadeau gekregen. Het hartje was het meest recente cadeau: dat had ze gekregen bij haar verloving met Conrad.

'Weet je,' zei Ida, terwijl ze Esters arm nog vasthield alsof ze hem woog, 'jij bent niet degene van wie Bernard houdt.'

Ester stond tussen de lege toiletten en de wastafels te zweten in haar bruidsjurk. Haar wangen vlamden door haar rouge heen en ze knipperde met haar ogen.

'Het enige meisje van wie Bernard ooit heeft ge-

houden,' zei Ida, 'heeft Conrad ingepikt en vervolgens in de steek gelaten. Dit is alleen maar wraak.'
Een drupje speeksel vloog uit haar mond op de onderlip van Ester. Toen Ida haar losliet en weer wegliep, veegde Ester haar mond af en bracht opnieuw lipstick aan, maar ze voelde het nog steeds, dat drupje speeksel. In de uren die volgden zette Ester haar mond aan talloze champagneglazen en wijnglazen en borrelglaasjes, maar ze bleef dat drupje speeksel op haar onderlip voelen. En zelfs uren later, toen Ester en Bernard alleen in bed lagen en hij haar kuste, was het enige waar ze aan kon denken het spuug van Ida op haar lip, alsof het er nog zat, tussen haar mond en die van Bernard ingeklemd als een koortslip.

Bernard komt tevoorschijn in een naar kamfer geurende stoomwolk, terwijl achter hem het bad met veel lawaai leegloopt. Ester praat wat tegen hem aan terwijl hij zich aankleedt. Ze kijkt naar hem in de spiegel terwijl hij zijn kleren uitkiest, zijn nagels inspecteert, met een knal de band van zijn horloge om zijn pols dichtklikt en zijn schoenen controleert. Hij reageert niet, zij zegt niets wat om een reactie vraagt, en hij kijkt niet naar haar.
Als Bernard naar beneden is, kleedt Ester zich aan. Ze doet haar schoonmaakkleren aan en gaat naar de badkamer. Ze spoelt de vuile streep die Bernard in de nog warme badkuip heeft achtergelaten weg en dweilt met een handdoek de plassen op de vloer op. Bij het bad ligt gemêleerd linoleum, wat Ester prettig vindt omdat je het vuil er niet op ziet. De wandtegeltjes en

de rest van de badkamer zijn wit, zodat je er alles op ziet, elk vlekje, maar het zijn in elk geval porseleinen tegeltjes, heel solide.

Ze doet het kastje in de badkamer open en haalt een sigaret en een aansteker uit een doosje tampons. Ze heeft een paar van die verstopplekjes waar Bernard, die niet wil dat zij rookt, nooit zal kijken. Ze doet het raam open, steekt haar sigaret aan en rookt die met de zon op haar gezicht. Ze kijkt naar haar venusvliegenval op de vensterbank en praat ertegen. Ze vindt het een fascinerende plant. Soms duwt ze met de steel van haar tandenborstel tegen de gretige blaadjes, alleen om ze even in actie te zien. Bernard geeft niet zoveel om kamerplanten en vindt de venusvliegenval vulgair, een beetje lelijk.

Ze verlaat het appartement en gaat achter Bernard aan naar beneden, naar de bar, om met hem te ontbijten. Als ze gaat zitten vraagt hij of ze eraan gedacht heeft de deur van hun appartement op slot te doen, en zij zegt dat ze dat gedaan heeft, ook al is ze zich ervan bewust dat ze het vergeten is.

Ze eten hun ontbijt. Bernard leest hardop voor uit de krant zodra hij iets tegenkomt dat hem interesseert, maar hij kijkt daarbij niet één keer naar Ester.

Ester blijft in de bar zitten, die tevens dienstdoet als eetzaal waar de gasten ontbijten. Degenen die vertrekken laten hun sleutels en hun miezerige klachten bij haar achter. Dan maakt ze de eerste van de leeggekomen kamers schoon, een familiekamer beneden. Ze zou ook even naar hun appartement kunnen gaan om de boel af te sluiten, maar dat doet ze niet. Alvorens naar boven te gaan gunt ze zichzelf eerst een pauze. Ze gaat terug naar de bar, hijst zich op haar barkruk en neemt iets te drinken. Ze kijkt naar Bernard die bezig is achter de bar, hoewel het tussen ontbijt en lunch betrekkelijk rustig is. Ook al is er helemaal niemand om te bedienen, hij blijft gewoon achter de bar en leest de krant.

Om elf uur komt het nieuwe meisje Bernard aflossen. Bernard verdwijnt om wat andere klusjes te gaan doen. Ester gaat naar boven om de andere kamers schoon te maken. Als ze daarmee klaar is, is het bijna twaalf uur.

Bernard en zij lunchen zelden samen. Als Ester honger heeft, neemt ze wat pinda's van de bar. Bernard maakt liever zelf zijn lunch klaar in hun eigen keuken boven. Hij houdt er niet van als andere mensen aan zijn eten zitten. Als Ester weer beneden komt zit hij in de bar aan een van de tafeltjes te eten. Hij kijkt niet op als ze binnenkomt, maar als hij zijn eten opheeft loopt hij naar haar toe. Zijn bord laat hij op het tafeltje staan. Hij blijft naast haar staan en buigt zich voor haar langs, met zijn arm tussen haar en het drankje dat ze heeft ingeschonken in. Hij houdt zijn gezicht heel dicht voor het hare en zegt haar weer dat ze hun appartement moet afsluiten. 'Jij vraagt om moeilijkheden,' zegt hij.

Halverwege de middag, als het nieuwe meisje even pauze heeft en Bernard in de kelder is en Ester net haar glas leegdrinkt, komt er een toerist binnen. Hij loopt naar de bar, vlak bij waar Ester op haar kruk zit. Ze vindt hem niet aantrekkelijk, maar dat is niet belangrijk. Ze buigt zich naar hem toe en zegt: 'Mag ik iets van je drinken?'

De man kijkt enigszins argwanend.

Ester glimlacht naar hem en zegt: 'Ik ben jarig vandaag.'

Dan glimlacht hij terug, hoewel hij een beetje zenuwachtig blijft kijken. 'Ja, nee, natuurlijk,' zegt hij. 'Wat wil je drinken?'

Bernard komt terug uit de kelder, ziet de man staan en wil hem bedienen, waarop Ester tegen de man zegt: 'Je wou me iets te drinken aanbieden?'

'Ja, zeker,' zegt de man. 'Wat wil je hebben?'

Bernard kijkt naar zijn vrouw, hoewel hij het tegen de man heeft als hij zegt: 'Is dat zo? Wilt u haar iets te drinken aanbieden?'

De man beaamt het nog een keer. Hij kijkt naar de koeling en naar de tap, en kiest voor zichzelf een biertje uit. 'En wat de dame wil drinken,' voegt hij eraan toe.

Bernard blijft strak naar Ester kijken. 'Sodemieter op,' zegt hij.

De man weet niet wat hij ervan denken moet. Hij begint te lachen. Bernard draait zijn hoofd naar hem toe, kijkt de man nu recht aan en herhaalt wat hij net gezegd heeft. De verbouwereerde gast deinst achteruit en loopt zo snel als hij kan de deur uit.

Bernard gaat weer aan het eind van de bar zitten en pakt zijn krantje erbij. Ester, die vandaag geen gasten verwacht, gaat naar boven om wat uit te rusten.

Soms slaapt ze een poosje en soms leest ze alleen maar wat in een boek of een tijdschrift, waar ze foto's uitscheurt van kapsels die ze mooi vindt, van zwaar opgemaakte ogen en van rode lippen.

Later, als Ester naar Bernard toe gaat en zegt: 'Morgen ben ik er niet onder lunchtijd. Ik heb een afspraak', zegt hij, zonder op te kijken van zijn kruiswoordpuzzel: 'Dat maakt mij niet uit.'

Hoofdstuk 9 – Sinaasappels

Futh wordt wakker met pijn. Zijn opgezwollen herse-
nen bonzen en het licht doet zeer aan zijn ogen. Hij
doet ze dicht en gaat weer slapen. Als hij zich weer
verroert is het al laat, halverwege de morgen, en heeft
hij het ontbijt weer gemist.

Hij gaat naar de badkamer. Enigszins beneveld
houdt hij zich vast aan de wastafel en draait hij de
kraan open. Hij wast zijn gezicht met wat water. Zijn
huid is nog warm van het bed en de slaap, en het koude water geeft hem een schok. Hij drinkt rechtstreeks
uit de kraan en deinst er niet voor terug om hem met
zijn mond aan te raken, ondanks de bacillen waarvan
zijn tante Frieda hem gezegd heeft dat ze vooral ge-
dijen op kranen en bij drinkfonteintjes. Zonder een
blik in de spiegel te werpen loopt hij weer terug naar
de kamer. Hij trekt de gordijnen open en is blij te zien
dat het een sombere ochtend is, de lucht is helemaal
betrokken. Het belooft een iets koelere dag te
worden.

Hij kan zich niet herinneren dat hij gisteravond uit
dit raam heeft gekeken, niet toen hij aankwam en
ook niet toen hij naar bed ging. Hij kan zich ook niet

herinneren dat hij gekeken heeft waar een eventuele nooduitgang is. Dat is maar goed ook, denkt hij, want zijn kamer bevindt zich op de derde verdieping en je kunt vanuit dit raam nergens opklimmen en hij ziet ook niets wat zijn val zou kunnen breken. Als hij zich dat gerealiseerd had, zou hij de halve nacht wakker hebben gelegen en zich daar zorgen over hebben gemaakt en zou hij de andere helft van de nacht allerlei nachtmerries hebben gehad.

Hij gaat op het bed zitten, naast zijn koffer. Hij had deze koffer ook bij zich op zijn huwelijksreis, het was een huwelijksgeschenk van zijn vader, die tevens zijn getuige was.

Futh had eerst een collega van zijn werk gevraagd, maar die had geweigerd. Gloria zei: 'Ga je Kenny niet vragen?' Daarop had Futh Kenny gevraagd, maar die had alleen maar gelachen.

Toen had hij zijn vader gevraagd. Die had zijn hoofd geschud en gezegd: 'Heb je niemand anders?' Maar hij had het wel gedaan. Hij had Futh meegenomen naar de pub, zijn glas geheven en gezegd dat de Fransen dit *l'enterrement de vie de garçon* noemden. 'De begrafenis,' zei hij, 'van je jongensjaren.'

Ze hielden de receptie in een zaal bij een pub in de buurt. Er was een dansvloer waar zijn vader op schuifelde met Gloria, waar de moeder van Angela Futh de hele tijd op probeerde te lokken en waarvan Angela herhaaldelijk weigerde af te gaan, ondanks het feit dat Futh liever op tijd naar bed ging. Er was ook een buffet, waar weinig meer van over was tegen de tijd dat Futh Angela achterliet op de dansvloer en de gang op ging om even weg te zijn bij het kabaal en de flitsende lichten van de disco.

Aan het eind van de gang was een achterdeur opengezet, en daarachter zag hij een gedeelte van een in duisternis gehuld terras, waar het begon te regenen. Hij ging naar buiten en er sprong meteen een beveiligingslamp aan, die hem verlichtte op de lege betonplaten waar hij op bleef staan. Er lag een grasveldje dat aan deze kant werd omzoomd door het terras en de muur waar de beveiligingslamp aan hing. Langs één kant van het grasveldje liep de buitenmuur van de gang en aan de andere kant schermde een heg de tuin af van de weg. Helemaal aan het andere eind was de muur van de feestzaal die hij net verlaten had, en daarboven lag de slaapkamer die hij voor die nacht had geboekt.

Hij liep het natte grasveldje op. Regen deed hem altijd denken aan die keer dat hij Angela had ontmoet bij dat tankstation langs de snelweg en aan de geur van zijn natte jas in haar auto. Hij liep op zijn gemak naar het eind van de tuin. Hij ging ervan uit dat als hij ergens anders stond, ze hem dan vanuit de feestzaal konden zien, maar als hij tegen de muur van de zaal aan ging staan, was hij niet te zien. Bovendien reikte de sensor van de beveiligingslamp klaarblijkelijk niet helemaal tot achter in de tuin. Het licht floepte uit. Futh stond opeens in het donker buiten de feestzaal, in het welige gras tussen de brandnetels, snoof behaaglijk de geur van de regen op en dacht aan Angela.

'Wat je ruikt,' had hij een keer tegen haar gezegd tijdens een regenachtige boswandeling, waarna hij de lucht ook diep had opgesnoven, 'zijn bacteriële sporen. Die liggen opgeslagen in uitgedroogde aarde, maar als het regent komen ze vrij en worden ze door de vochtige lucht naar je neus getransporteerd.'

Futh begon echt nat te worden en hij ging weer naar binnen. Toen hij over het grasveldje naar de deur liep, floepte de beveiligingslamp weer aan en voelde hij zich net een dier in de koplampen van een auto dat elk moment kon worden neergemaaid.

Hij ging niet terug naar de feestzaal, maar glipte langs de openstaande deur en liep regelrecht de trap op naar de slaapkamer. Hij hoorde het feest zonder hem doorgaan, het leek wel of het hier harder klonk dan toen hij nog beneden was. Door de planken vloer heen hoorde hij mensen gillen en hij voelde het dreunen van de discomuziek onder zijn voeten.

Hij liep naar het raam en keek naar buiten, om te zien of hij daar in geval van nood door weg zou kunnen komen. Het raam keek uit op het grasveldje en het terras aan de andere kant van de tuin. Het was een dakkapel, eronder liep het dak schuin af. Hij kon van hieraf de grond niet zien, maar hij wist dat als hij moest springen, hij in het gras zou landen, of op zijn ergst in de brandnetels waar hij net tussen had gestaan. Gerustgesteld trok hij de gordijnen dicht.

Hij trok zijn natte kleren uit en hing ze over de koude radiator en over de stoelen om te drogen. Hij deed zijn horloge af en legde het op de kaptafel. Uit zijn nieuwe koffer haalde hij zijn toilettas. De toilettas van Angela stond al in de badkamer. Hij keek wat er allemaal in zat, rook aan een paar dingen, probeerde ze uit en scrubde zich onder de douche met haar peelingcream. Toen hij zich had afgedroogd knipte hij de nagels van zijn vingers en tenen. Hij poederde zijn voeten en bracht wat van Angela's vochtinbrengende nachtcrème aan op zijn gezicht en hals, en smeerde wat oogcrème op de dunne huid rond zijn ogen. Hij kamde zijn haar en poetste en floste zijn tanden.

Terug in de slaapkamer zocht hij in zijn koffer naar de kleren waarin hij morgen weg zou gaan en legde ze vast klaar. Hij vergewiste zich ervan dat hij alles bij zich had: portefeuille, reischeques, de bevestiging van hun reservering voor de vlucht en de huurauto en de hotels die ze geboekt hadden, en legde alles keurig naast zijn horloge.

Hij trok zijn pyjama aan, ging in bed liggen en knipte zijn lampje uit. Zo bleef hij liggen, ruikend naar Angela. Er was nergens licht in de kamer – er kwam geen licht van buiten, er was geen rood stipje van een televisie op stand-by, en er was ook geen radiowekker die in rode of groene cijfertjes de tijd aangaf. Hij bleef liggen wachten tot Angela ook boven zou komen.

Enige tijd later werd hij gewekt door de beveiligingslamp boven het terras die aanfloepte en door de gordijnen scheen. Hij stond op om naar buiten te kijken, maar toen hij het gordijn opendeed ging het licht weer uit. In het donker bleef hij staan luisteren naar de receptie, die beneden nog in volle gang was.

Hij zette het raam open en genoot van de koelte

buiten. Hij vroeg zich af of daar beneden iemand was, in de tuin, maar hij zag niks – de maan gaf vrijwel geen licht – en hij hoorde ook niks door het lawaai van beneden. Zijn in bed opgewarmde voeten werden koud op de kale houten vloer, maar hij bleef een poosje staan uitkijken in het donker tot hij de geur van sigarettenrook opving, die door het open raam naar binnen kringelde. Even later floepte de beveiligingslamp weer aan en zag hij Angela in haar bruidsjurk, ze liep over het terras en verdween door de achterdeur naar binnen. Ze zou nu wel snel naar bed komen, met sigarettenrook op haar huid en in haar haar en in haar mond. Hij sloot het raam en trok de gordijnen weer dicht.

Hij ging weer in bed liggen. Hij wilde wakker blijven en op Angela wachten, maar viel opnieuw in slaap. Toen hij wakker werd, had hij geen idee hoe laat het was en of Angela er ook al was. Het was donker en het was stil, de receptie was eindelijk afgelopen. Hij stak zijn arm uit, half in de verwachting dat Angela nog niet in bed zou liggen, maar voelde daar toch de hobbel van haar lichaam, onder de dekens. Haar huid voelde nog koud aan omdat ze buiten was geweest. 'Slaap je al?' fluisterde hij, maar ze reageerde niet. Hij ging weer slapen.

In de ochtend ontbeten ze in de eetzaal. Futh haalde een continentaal ontbijtje van het buffet en ging met zijn vader en Gloria aan een tafeltje zitten. Hij schonk een kop koffie in voor zichzelf en eentje voor Angela, maar begon nog niet meteen te eten, hij wachtte liever even op Angela, die op het buffet voor

het Engelse ontbijt was afgelopen. Toen hij zich omdraaide zag hij dat ze met Kenny stond te praten.
Angela zag Futh kijken en kwam zonder ontbijt terug
naar hun tafeltje. Kenny draaide zich om naar het
buffet en schepte zijn bord vol.

'Die zal wel honger hebben,' zei Gloria. 'Toen hij
binnenkwam was het eten alweer weggehaald.'

'Ik wist niet eens dat hij zou komen,' zei Futh.

'Natuurlijk wel,' zei Gloria. 'Hij had het voor geen
goud willen missen.'

Kenny kwam ook naar hun tafeltje met zijn Engelse
ontbijt. 'Dit krijg ik thuis niet,' zei hij, terwijl hij zijn
mes en vork pakte.

'Dat zou je bij mij anders wel krijgen,' zei Gloria,
maar Kenny negeerde haar en sneed in een worstje en
een gebakken ei.

Futh zei al tegen Angela: 'Dit is Kenny', maar hij
werd onderbroken.

'Ze hebben elkaar al ontmoet,' zei Gloria. 'Ze hebben elkaar gisteravond ontmoet.'

'Ze hebben elkaar al eerder ontmoet dan gisteravond,' zei Futh. Angela keek verbaasd op. 'Jullie hebben elkaar toen op die open dag van de universiteit
ook al ontmoet,' voegde hij eraan toe.

Kenny prikte een stuk bloedworst aan zijn vork en
doopte dat in het naar alle kanten weglekkende eigeel.
'Weet je dat nog, Angela?' vroeg hij.

Ze knikte, maar flauwtjes, alsof het pijn deed.

'Ik ken Kenny al vanaf de kleuterschool,' zei Futh
tegen Angela.

'We waren buren,' zei Kenny. 'Hij heeft nog in mijn
bed gepist.'

Futh brak zijn croissant open, die tot zijn ergernis uit elkaar viel in broze, vettige deegschilfertjes die aan zijn vingers en zijn bord bleven kleven.

Angela leek wel versuft. Ze duwde haar zwarte koffie van zich af, waar ze nog geen slok van had genomen, en bracht een hand naar haar voorhoofd.

Futh keek op en zei: 'Je had ook naar bed moeten gaan toen ik ging.'

Zonder haar hand van haar voorhoofd te halen beaamde Angela het: 'Ja.'

Toen iedereen uitgegeten was, haalde Kenny een pakje sigaretten tevoorschijn en bood iedereen er een aan. Angela sloeg het af, maar Futh dacht dat ze zich had aangeleerd stiekem te roken en zei: 'Neem er maar een, hoor.' Ze mocht van hem met alle plezier af en toe een sigaretje opsteken. Het zou nog maanden duren voor de geur hem ging tegenstaan.

Ze keek verward. 'Ik rook niet.'

Kenny stak zelf een sigaret op en Futh excuseerde zich, hij wilde het taxibedrijf bellen om zeker te weten dat de taxi niet te laat zou komen.

Toen de taxi kwam, toch te laat, regende het weer. Futh hield zijn jas boven Angela's hoofd terwijl ze zich van de pub naar de wachtende taxi repten. Ze stapten achterin en Futh deed zijn raampje open om de regen op te snuiven. Nadat ze een paar minuten zo gereden hadden boog Angela zich voor hem langs en deed zijn raampje weer dicht. Futh snoof een vleugje sigarettenrook van Kenny op. Hij zat daar in zijn vochtige jas naar al die regen te kijken. Het deed hem een beetje denken aan die avond dat hij Angela had ontmoet bij dat tankstation aan de snelweg.

De huwelijksreis was een ramp – vliegtuigen hadden vertraging, bagage raakte kwijt, ze troffen overal lits-jumeaux, hadden last van hun maag, beroerd weer en ruzie om het feit dat Angela de hele tijd moest rijden, en toen begaf hun huurauto het ook nog eens.

'Het was vreselijk,' zei Angela later tegen verschillende mensen. 'Ik betwijfel of een vakantie nog beroerder kan uitpakken.'

Afgezien van hun huwelijksreis, waar Futh verantwoordelijk voor was geweest, regelde Angela al hun vakanties. Zelfs met de kerst was het Angela die regelde dat ze bij haar moeder op bezoek gingen, bij haar vader, zijn vader – en Futh ging gewoon mee. Vorig jaar hadden ze met de kerst voor het eerst apart afspraken gemaakt, en was Futh alleen naar de flat van zijn vader gegaan, of eigenlijk de flat van Gloria, die daar was gaan wonen omdat het dichter bij Kenny en zijn gezin was.

Futh reed er op kerstochtend naartoe. Hij had pas enkele maanden zijn rijbewijs en had alleen nog maar naar zijn werk gereden, en nooit in de sneeuw, die 's nachts tegen de verwachtingen in gevallen was. Angela was na het ontbijt door haar broer opgehaald en meegereden naar het huis van haar vader. Futh was niet veel later weggegaan. Zijn auto wilde niet starten in die kou, dus had hij de auto van Angela genomen. Op zoek naar een krabber om de voorruit schoon te maken zocht hij in het dashboardkastje en vond daar een kleine handdoek. Hij pakte hem, maar het ding stond stijf van het vuil. Hij rook er nog even aan, legde hem terug en maakte de voorruit schoon met zijn creditcard.

Hij begreep niet precies hoe je de verwarming moest instellen. Een felle stroom eerst ijskoude maar later steeds hetere lucht blies regelrecht op zijn schoenen, en zo reed hij de lege snelweg op.

Gloria liet hem binnen met een glimlach. 'Kom binnen, hier brandt de kachel,' zei ze, en ze nam de hoed van zijn hoofd nog voor hij zelfs maar over de drempel was, trok zijn jas van zijn schouders en wikkelde de sjaal van zijn nek. Toen de voordeur achter hem dichtging leek het halletje wel heel smal; de ruimte die hij had, tussen de dichte deur en Gloria in, leek hem aan de krappe kant. Hij voelde zich naakt zonder zijn jas.

Gloria draaide zich om en ging hem voor de trap op. Hij volgde haar geur, die als een sleep achter haar in de lucht bleef hangen.

In de zitkamer nam Gloria hem mee langs de eettafel – die gedekt was met placematjes, eetgerei, wijnglazen en knalbonbons – naar een bank bij de loeiende haard. Ze vulde een bekerglas met bisschopswijn uit een karaf die op het tafeltje stond en reikte het hem aan. Hij nam een paar medicinale slokjes van de gloeiend hete wijn en boog zich toen naar voren om het glas neer te zetten. Gloria schonk haar eigen glas bij en kwam naast hem zitten. Ze liet haar muiltjes van haar voeten glijden, trok haar benen onder zich op de bank en gaf met haar grote teen een speels duwtje tegen zijn been. Hij keek naar haar blote voet, haar knalroze nagellak.

'Je vader heeft een slechte bui,' zei ze.

'Ah,' zei Futh. 'Waar is hij?'

'In de keuken.'

'Dan ga ik even naar hem toe.' Futh boog zich weer voorover, nu om overeind te komen.

Gloria legde haar hand, met haar kamperfoelieroze gelakte nagels, op zijn dijbeen en zei: 'Dat hoeft niet.' Futh pakte zijn glas weer en nam nog een verzengend slokje, waarna hij zich liet overhalen weer gewoon te gaan zitten. Gloria plukte aan zijn broekspijp en trok aan een los draadje. 'Jij hebt niemand die voor je zorgt,' zei ze.

Futh keek vluchtig naar haar. Haar oversized oorringen weerkaatsten het licht van het vuur. Hij wendde zijn blik af. Een lichte verdoving begon zich al van hem meester te maken, als gevolg van de bisschopswijn en de hitte – hij voelde zich ingelegd en geroosterd als de varkenskluiven van zijn vader. Opnieuw maakte hij aanstalten om op te staan en deze keer kwam hij daadwerkelijk overeind. Hij liep naar het raam.

Buiten was alles begraven onder een dikke laag sneeuw. Futh leunde met zijn voorhoofd tegen het koele glas en zag een jongen die in de achtertuin een sneeuwhut aan het bouwen was. De adem van de jongen bleef zichtbaar in de lucht hangen.

'Kom nou weer zitten,' zei Gloria. 'Lekker warm bij het vuur.'

Futh bleef een ogenblik staan waar hij stond, naar

buiten starend, alsof hij haar niet gehoord had. Toen tilde hij zijn hoofd weer op, draaide hij zich om en liep hij terug naar de bank. Hij ging weer zitten waar hij net had gezeten en Gloria legde haar gelakte vingernagels weer op zijn dij. Ze bracht haar gezicht nog iets dichter bij het zijne en zei: 'Je lijkt zo op je vader.'

'Ik lijk in niets op hem,' zei Futh.

'Je lijkt meer op je moeder,' zei Gloria.

Futh keek naar de laaiende vlammen in de haard.

'Ze is heel plotseling weggegaan, hè?' zei Gloria. 'Ze was opeens verdwenen.'

'Ja,' zei Futh, 'inderdaad.'

Er klonk een dreun achter hen en Futh keek om. Zijn vader stond bij de tafel met ovenhandschoenen aan. Op tafel stond een gegrilde kip.

Gloria trok haar hand van het been van Futh en legde hem om haar glas. Ze kwam overeind, schoof haar voeten in haar muiltjes en ging naast de vader van Futh staan. 'Dat ziet er heerlijk uit,' zei ze, maar hij liep alweer weg.

Hij kwam terug met een schaal met groenten en twee flessen wijn. Één fles was bijna leeg, hij schonk het laatste beetje in zijn glas, nam daar een slokje van en hief het glas toen naar niemand in het bijzonder. 'Op familie,' zei hij.

Gloria ging zitten, legde haar bestek recht en drapeerde haar servet over haar schoot. Futh stond op van de bank en ging ook aan tafel. Zijn vader ontkurkte de andere fles en schonk hem leeg in drie grote glazen. Hij sneed de kip aan terwijl Gloria groente opschepte.

Futh nam zijn bord aan en zijn vader zei: 'Dus Angela gaat bij je weg.'

'We gaan uit elkaar, ja,' zei Futh, terwijl hij zijn bestek pakte.

'Wat heb je gedaan?' vroeg zijn vader.

'Wat dan?'

'Waarom gaat ze bij je weg?'

'Ik heb niks gedaan,' zei Futh.

'Ze begon zich te vervelen,' zei zijn vader.

Gloria boog zich naar Futh toe, gaf een troostend klopje op zijn been en kneep er even in.

Futh legde zijn bestek neer en stond op. Hij was dichter bij het raam, maar hij liep naar de haard, hurkte ervoor neer en pakte de pook.

'Sommige vrouwen,' zei Gloria, 'weten niet te waarderen wat ze hebben.'

Futh, die in het nog steeds laaiende vuur zat te porren, zei zacht bij zichzelf: 'En sommige mensen weten niet wat van hen is en wat niet.'

Hij hoorde zijn vader niet opstaan van tafel en door de kamer lopen. Hij wist pas dat er iemand achter hem stond toen hij overeind werd getrokken aan zijn kraag, werd omgedraaid en een klap kreeg. Hij liet de pook vallen. Het gloeiend hete puntje maakte een schroeiplek in de vloerbedekking. Zijn vader liep weer terug naar de tafel. Futh raapte de pook op, zette hem terug waar hij hoorde, volgde zijn vader naar de tafel en ging ook weer zitten.

Ze trokken hun knalbonbons uit elkaar en zetten papieren hoedjes op. In de knalbonbon van Gloria zat een nepdiamanten halssnoer dat ze om deed, en ze luisterden naar de kerstdienst op de radio.

Na de lunch werd een tapijt uit een ander deel van de kamer voor de haard neergelegd, op de schroeiplek van de pook. 'Kijk eens, dat ziet geen mens,' zei Gloria. Met haar blote voet tilde ze een hoekje van het tapijt op. Ze keek nog eens naar het zwartgeblakerde stukje vloerbedekking en porde er met haar grote teen tegenaan.

Zijn kater begint erger te worden. Futh drinkt nog meer water en wou dat hij eraan gedacht had aspirines mee te nemen. Hij overweegt onder de douche te gaan staan, maar kleedt zich toch meteen aan. Hij doet de vuurtoren in zijn zak en plakt nieuwe pleisters op zijn toegetakelde hielen, waarna hij zijn dikke wandelsokken aantrekt en, zich vermannend, zijn wandelschoenen. Dan ritst hij zijn huwelijksreiskoffer dicht en laat hem bij de deur staan, klaar voor het vervoer naar zijn volgende bestemming.

De eerste drie kilometer loopt hij alleen maar te zoeken naar een bakker die open is. Het is bijna twaalf uur voor hij aan de etappe van die dag begint.

De route gaat eerst langs maïsvelden en dan het bos in. Het is eind augustus, bijna herfst, oogsttijd, maar de bladeren zijn nog groen en hij ziet overal bramen. In het kreupelhout ritselen muizen en hagedissen en de lucht hangt vol flitsende insecten die hem voortdurend te grazen nemen.

Regenwolken pakken zich samen en de steeds donkerder lucht en het bladerdak maken het schemerdonker, ook al begint de middag net. Hier en daar staat hij opeens in het volle licht en heeft hij uitzicht over de Rijn. Je kunt heel ver kijken, je ziet echt kilometers rivier en spoorlijn, en boten en treinen op weg naar Koblenz of Bonn, of verder, naar Keulen of Düsseldorf, of nog verder, naar Rotterdam en Utrecht en de Noordzee. Maar hij kijkt niet, hij is niet bij machte aan iets anders te denken dan aan zijn voeten en hoe zeer die doen.

Als hij even gaat zitten om uit te rusten, voelt hij zijn voeten kloppen in zijn schoenen. Hij weet dat zijn pleisters los zijn gaan zitten, maar als hij zijn schoenen uitdoet denkt hij niet dat hij ze ooit weer aan zal trekken. Hij vervolgt zijn weg en het pad brengt hem weer terug in het donkere bos.

Hij loopt steeds langzamer naarmate de middag voortkruipt. Aan het pad lijkt geen eind te komen, maar het aantal spectaculaire panorama's neemt sterk af. In het afnemende licht begint Futh, die alles in zijn rugzak heeft behalve een zaklantaarn, het gevoel te krijgen dat het pad hem nu weleens steeds verder het bos in zou kunnen sturen en dat hij er misschien wel nooit meer uit komt. Het komt hem voor dat de bomen in het donker steeds dichter om hem heen schuiven, dat ze hem willen omsingelen en vasthouden. Hij kan nauwelijks zien waar hij loopt en zou niet kunnen zeggen wat het is waar zijn schoenen hier in wegzakken of wat er daar onder zijn zolen knapt. Op een gegeven moment blijft hij staan en overweegt hij om terug te gaan. Hij heeft weleens iets gelezen over diepzeeduikers die niet meer weten welke kant boven is, die denken dat ze naar de oppervlakte zwemmen terwijl ze steeds dieper duiken. Maar hij ploetert voort, en eindelijk wordt het bos minder dicht en laat hij de bomen achter zich. Als hij terug-keert in de beschaving begint het al te schemeren, de straatlantaarns gaan aan en verlichten de rest van de weg.

Hij is nu over de helft van zijn rondwandeling – hij heeft meer kilometers gelopen dan hij nog te gaan heeft. Aan het eind van de week is hij weer terug bij het begin, terug in Hellhaus, elke stap brengt hem er nu dichterbij.

De rest van de wandeling van die dag gelooft hij wel. Hij zoekt het station op en neemt de trein naar zijn volgende bestemming. Zijn gepijnigde voeten krijgen rust. Hij leunt met zijn hoofd tegen het rammelende raam waar nu de regen tegenaan klet-tert.

'Er vergingen nog steeds schepen,' zei zijn vader, 'na-dat de vuurtoren gebouwd was.'

De moeder van Futh lag te zonnen in haar bikini-topje en korte broek. Ze had haar wandelschoenen en sokken uitgedaan en strekte haar blote voeten, maar Futh had de zijne nog aan. Zijn vader had gewone schoenen aan, die hij kapotliep.

Zijn moeder wandelde graag en Futh ging graag met haar mee. Er waren heuvels waar zij woonden, waar de huizen ophielden. Je liep met je zak snoepjes vanuit de winkel op de hoek zo door een veld, en dan ging je al de heuvels in. Het stadje was aan alle kanten door heuvels omringd. Je kon kilometers wandelen zonder hun huis uit het oog te verliezen, hoewel zijn moeder altijd doorliep tot dat toch gebeurde, liedjes neuriënd die wegwaaiden op de wind. Zijn vader ging nooit mee en zijn moeder vroeg hem ook niet meer.

Op het klif in Cornwall weidde zijn vader uit over schipbreuken en plunderingen. Hij vertelde een of ander verhaal over een spookschip dat voortdurend op de rotsen bij de vuurtoren werd geworpen en Futh zag zijn moeder met haar ogen rollen. Hij had dat eerder gezien, dat zijn moeder onrustig werd als zijn vader maar doorpraatte. Zo begon het altijd, zijn vader oreerde erop los en zijn moeder rolde met haar ogen en draaide en zuchtte als een dier dat wakker werd. Als zijn vader niet ophield, begon zijn moeder met haar provocerende opmerkingen. 'Niemand luistert,' zei ze dan, of: 'Niemand vindt dit interessant.' En dan kon het stilvallen, of werd zijn vader kwaad – hij werd nogal gauw driftig, maar dat was meestal even snel weer over.

Ze slaakte een diepe zucht. Zijn vader sloeg er geen acht op. 'Het licht,' zei hij, 'flitst elke drie seconden en is van vijftig kilometer af te zien. Als het mist gebruiken ze de misthoorn.'

Futh slenterde weg, alsof hij ergens heen zou kunnen. In zijn hand had hij het parfum, de zilveren vuurtoren die hij uit de handtas van zijn moeder had gepakt. Toen hij een poosje later terugkwam had hij het flesje uit het zilveren houdertje gehaald. Zijn vader had het nog steeds over misthoorns, of misschien had hij wel gewacht en ging hij gewoon verder waar hij

gebleven was. Zijn moeder zei, zonder haar ogen
open te doen: 'Weet je wel dat je me stierlijk verveelt?'

Futh keek toe terwijl zijn vader zwijgend de restanten van de picknick in de koelbox deed, de plastic
bordjes en bekertjes in de rugzak stopte, het deksel op
de thermosfles met koude koffie draaide en het picknickkleed uitschudde waar hij alleen op gezeten had.
Een briesje stak op toen hij het probeerde op te vouwen. Toen alles eindelijk was ingepakt bleef zijn vader
staan. Hij keek naar zijn vrouw die in het gras in de
zon lag, en Futh keek naar de meeuwen. Hij keek ernaar tot zijn moeder opstond en zei: 'Ik ga naar huis',
en toen keek hij naar zijn hand en zag hij bloed, het
flesje was gebroken en het parfum van zijn moeder
trok in de wond.

Dezelfde middag haalden ze hun bagage uit de
caravan en namen ze de trein terug. Zijn moeder ver-
kleedde zich in het toilet. Ze verwisselde haar zomer-
se outfit voor haar reiskleding en trok schoenen
met hoge hakken aan, die ze uitdeed zodra ze ging
zitten.

Toen de trein was vertrokken ging zijn vader naar
de restauratiewagon en hij kwam pas terug toen ze
bijna thuis waren. Zijn moeder viel in slaap met haar
blote voeten op de smerige vloer en vlijde haar korte,
lichtblonde haar tegen het vuile raam. Het parfum-
houdertje, met het kapotte flesje erin, zat in de zak
van Futh. Misschien wist ze wel dat hij het had, maar
ze vroeg het niet terug. Zijn ongewassen handen en
zijn schoenen roken sterk naar viooltjes. Zijn moeder
rook naar de overgebleven sinaasappel die ze in de

trein had gegeten voor ze in slaap viel. Jaren later,
toen Futh werkzaam was in de productie van synthetische geuren, werd hij altijd triest van de geur van
octylacetaat.

Terwijl hij daar zo zat in de voortrazende trein wist
hij dat zijn moeder hen zou verlaten. Hij wist dat als
de trein bij hun station aankwam, de vakantie voorbij
zou zijn en dan zou zij weggaan. Hij wilde dat de trein
langzamer ging rijden; hij wilde dat hij nooit zou
blijven staan. Hij wilde dat zijn moeder bleef slapen
en dat zijn vader in de restauratie bleef. Maar de trein
snelde voort en het daglicht stierf weg en door de
ramen, in het donker, ving Futh glimpen op van de
namen van de stations waar ze langsdenderden en hij
wist dat ze bijna thuis waren. Zijn vader kwam terug
uit de restauratiewagon en door het lawaai dat hij
maakte toen hij de coupé binnenkwam, op zoek naar
zijn stoel, werd de moeder van Futh wakker. De trein
remde af en kwam langzaam tot stilstand.

Futh kan zich met geen mogelijkheid het lievelings-
liedje van zijn moeder herinneren, hoe het ook alweer
ging, maar als hij van het station naar zijn hotel voor
die nacht loopt, blijft hij proberen de melodie voor
zich uit te neuriën. Uiteindelijk heeft hij het bijna te
pakken.

Als hij bij het hotel aankomt, ziet hij dat het een
dichte veranda heeft waar andere wandelaars hun
modderige schoeisel hebben achtergelaten. Hij doet
hetzelfde en zet zijn schoenen voor de nacht in een
hoekje.

Hij neemt zijn sleutel in ontvangst, gaat naar zijn kamer en loopt regelrecht door naar de badkamer om het bad vol te laten lopen. Terwijl de kraan loopt kijkt hij de hotelkamer rond. De inrichting bevalt hem. De gordijnen en het beddengoed zijn van dezelfde stof gemaakt, met een natuurdessin dat terugkomt in de aquarel boven het bed en het geborduurde kussen in de makkelijke stoel. De kleuren worden weer geaccentueerd door de verf op de muren en het houtwerk. Hij weet een dergelijke vrouwelijke toets te waarderen. Zoiets zou hij in zijn flat ook graag willen.

De brandtrap pal voor zijn raam stelt hem gerust.

Hij kleedt zich uit en doet zijn kleren meteen in zijn koffer, waarin hij zijn schone spullen gescheiden probeert te houden van de vuile. Hij bedenkt dat hij wel wat strekoefeningen zou kunnen doen, zoals op school altijd moest voor ze gingen hardlopen. Hij probeert zijn tenen aan te raken, maar kan er niet bij en toch doet het aan de achterkant van zijn benen pijn. Eerst voelt hij zich oud, maar dan herinnert hij zich dat hij dit op school ook al niet kon. Hij was sowieso nooit zo goed in hardlopen. Hij gaat op de rand van het bed zitten en doet wat enkeloefeningen, maar dat is een marteling.

Hij haalt zijn wekker uit de koffer en zet hem vast voor de volgende ochtend. Als hij weer naar de badkamer loopt, blijft hij bij het raam staan om naar het uitzicht achter de brandtrap te kijken – de avondlucht, de donkere helling, de maanverlichte rivier. Hij overweegt het raam open te zetten om de avondlucht binnen te laten, maar ontdekt dat het kozijn is dichtgeschilderd.

Voorzichtig stapt hij in de badkuip, het water prikt in zijn openliggende hielen. Als hij zich in het diepe bad laat zakken en zijn vermoeide lijf langzaam achterover leunt, stijgt het water. Het klotst tegen zijn kaak en zijn wangen als golven tegen een scheepsromp en sluit zich boven zijn hoofd.

Hoofdstuk 10 – Memorabilia

Ester beent over het trottoir, de stilettohakken van haar nieuwe schoenen roffelen krijgshaftig op de betonnen platen.

Ze is haar middag begonnen bij de kapper, waar ze haar haar weer kort heeft laten knippen en het even platinablond heeft laten verven als toen ze net in de twintig was. Het meisje probeerde nog haar over te halen om een warmere tint te nemen, maar Ester was niet te vermurwen.

Na de kapper ging ze shoppen en bleef ze voor een winkel staan kijken naar een etalagepop in een strapless jurk met een ingesnoerd lijfje en een knielange rok, van satijn in haar favoriete kleur blozend roze, dezelfde tint die ze ook had gekozen voor de muren van haar slaapkamer. Ze bleef een poosje voor de etalage staan kijken naar de pop wier harde, uitdrukkingsloze gezicht van haar was afgewend.

Het was alweer enige tijd geleden dat ze naar kleren had gekeken. Ze nam de jurk mee naar de paskamer, heel praktisch een maatje groter dan de laatste keer dat ze iets dergelijks had gedragen, waarna ze hem kocht in nog weer een maatje groter. Ze kocht ook een paar schoenen, in dezelfde kleur met stilettohakken.

Ze stapte bij een café naar binnen voor een broodje en een glas bier. Daar ging ze naar het toilet om haar nieuwe outfit aan te trekken. Haar jurk bleek dezelfde kleur te hebben als het toiletpapier. Ze liet haar oude kleren en schoenen achter en keerde weer huiswaarts.

Door Hellhaus marcherend op hakken van tien centimeter is ze zich ervan bewust dat ze niet meer op het meisje lijkt dat ze ooit was. De kapster had gelijk. De strenge coupe en het kille blond maken dat ze er moe uitziet. Ze is breder en zwaarder dan ze vroeger was en haar kuiten zijn vlezig onder de zoom van haar nieuwe jurk. Maar ze loopt met dezelfde soepele zwaai in haar armen, dezelfde zwier in haar heupen, en haar vlees en botten bewaren nog wel enige herinnering aan hoe ze was op haar eenentwintigste.

Ze wist al een en ander over Bernard voor ze hem voor het eerst ontmoette. Hij was bij Ida thuis altijd onderwerp van gesprek. En als Ester niet bij Ida thuis was, trok ze vaak op met Conrad en zijn vrienden, die Bernard ook kenden. Dan vroeg er altijd wel iemand naar hem, of had iemand nieuws of een of andere roddel, over wat hij uitspookte, met wie hij optrok, wanneer hij weer thuis zou komen. Bernard was maar iets ouder dan zijn broer, maar Ester had het gevoel dat Conrad – die nog bij zijn moeder woonde en die nog altijd rondhing met zijn vrienden van school – bij hem vergeleken een kind was.

Ze ontmoette een paar vriendinnen van Bernard,

die allemaal mager en blond en goed gekleed waren. Ze hoorde over jongens die klappen van hem hadden gekregen omdat ze te lang met zijn vriendinnen gepraat hadden, en een verhaal over iemand die hij van de trap had gegooid alleen omdat hij gekeken had. 'Hij heeft mij een keer met een fles geslagen,' vertelde een jongen haar, en hij liet haar een vaag litteken boven zijn wenkbrauw zien, 'omdat ik met zijn meisje had gedanst.'

Toen zij en Bernard eenmaal een stelletje waren, was hij bij haar ook jaloers Hij hield er niet van als andere mannen naar haar keken, hoewel hij ze nooit klappen gaf, zodat Ester zich afvroeg waarom niet, waarom hij zich drukker had gemaakt om zijn eerdere vriendinnen.

Op hun eerste afspraakje gingen ze naar de film, en Ester bewaarde het bioscoopkaartje, eerst in haar portemonnee en later in een envelop met alle andere dingen – een paar ansichtkaarten, een bierviltje waar hij zijn telefoonnummer op had geschreven, een gedroogde bloem van een wandeling die ze gemaakt hadden, en een dor blad dat ze na die wandeling uit haar haar had geplukt.

Ze heeft die dingen nog altijd. Ze bewaart ze in de la van haar nachtkastje en bekijkt ze heel af en toe, en dan brengt ze de gedroogde bloem naar haar neus. Ze gaat respectvol met de inhoud om, alsof de envelop aandenkens bevat aan een overleden popster in plaats van aan de man met wie ze getrouwd is, en met wie ze nog steeds samen is.

Bernard zou zich vast niet meer kunnen herinneren

welke film ze op hun eerste afspraakje gezien hebben, weet misschien niet eens meer dat ze toen naar de bioscoop zijn geweest. De jonge Bernard, die in een veld naast haar lag, zich naar haar toe draaide en een korenbloem tegen haar wang hield, bij het blauw van haar oog, leek bijna een andere man, een minnaar die ze ooit had gehad. Ze bewaart hem in een envelop in een la, de man die haar kuiten bewonderde; de man die, de korenbloem ronddraaiend tussen zijn duim en wijsvinger, zei: 'Kom, ga met me mee, ergens anders heen.'

Hij viel altijd in slaap met een arm en een been half over haar heen, die haar met hun gewicht tegen de matras gedrukt hielden, en de hitte die ze samen produceerden was bijna ondraaglijk. Nu draait hij haar de rug toe en wil hij de ruimte hebben. Soms draagt hij een slaapmasker en oordopjes. Tegenwoordig kijkt Bernard alleen naar Ester als andere mannen kijken.

Ester gaat normaal gesproken nooit door de hoofdingang van het hotel naar binnen, maar dat doet ze deze keer wel. Ze schrijdt door de bar, haar hakken tikken haar ritme op de planken vloer. Ze loopt naar de deur aan het eind van de bar die naar de kamers gaat, en uit een ooghoek ziet ze dat Bernard zich omdraait en naar haar kijkt.

Als ze boven over de gang loopt, hoort ze achter zich de traptreden kraken. Ze gaat door de deur waar 'PRIVÉ' op staat hun appartement binnen. Ze wacht in de slaapkamer.

Ze hoort Bernard hun appartement binnenkomen

en even later staat hij op de drempel. 'Wat is dit allemaal?' vraagt hij. Zijn blik tast haar af als een zoek-
licht. Hij komt dichterbij. 'Op wie wou je indruk maken?' Hij pakt haar bij haar bovenarmen en knijpt en
draait aan haar vlees alsof hij een sinaasappel uit-
perst. Ester zegt niks, ze kijkt hem alleen recht aan tot
zijn greep losser wordt. Ze draait zich om zodat hij de
rits van haar jurk open kan maken. Hij doet het langzaam, en misschien is dat verleidelijk bedoeld, maar
het enige wat zij kan bedenken is dat hij ergens door
wordt afgeleid, of dat hij het moment dat ze ontkleed
zal zijn behoedzaam voor zich uit schuift.

Als Bernard haar jurk open heeft geritst, loopt hij
om het bed heen naar zijn kant. Hij doet de gordijnen
dicht, maar het blijft licht in de kamer. Hij gaat op de
rand van het bed zitten, knoopt zijn schoenveters los,
maakt zijn riem los, knoopt zijn overhemd open. Hij
kijkt naar Ester en wendt zijn blik weer af. Zij stapt
uit haar schoenen, trekt haar jurk uit en blijft in haar
slipje bij het bed staan. Bernard slaat de lakens op zodat ze eronder kan gaan liggen. Ze voelt waar hij haar
heeft vastgehouden, waar zijn vingers in haar huid
hebben gedrukt, waar later de sporen te zien zullen
zijn: kleine, ronde blauwe plekken. De hiel van haar
ene voet is opengegaan in haar nieuwe schoenen en
bloedt een beetje in het laken.

Bernard, die inmiddels naakt is, doet zijn horloge af
en windt het op alvorens het op zijn nachtkastje te
leggen. Hij gaat in bed liggen en draait zich naar Ester
toe. Hij kijkt naar haar alsof ze hem aan iemand doet
denken, alsof hij zich probeert te herinneren aan wie.

Ik ben het, zou ze willen zeggen, ik doe je aan mij herinneren.

Zijn kamfergeur vult haar neusgaten en zijn ogen
gaan dicht.

Hoofdstuk 11 – Desinfecterende middelen

Futh neemt zijn ontbijt mee naar zijn tafeltje bij het raam. Het begint buiten een beetje op te klaren, ziet hij. Hij gaat zitten, pakt zijn bestek en kijkt de eetzaal rond. Een vrouw van in de dertig komt binnen en loopt naar de bar. Ze bestelt koffie, slaat het boek open dat ze bij zich heeft en begint er staand in te lezen. Futh, die flink wat salami op zijn bord heeft geladen en nu toetast, merkt op dat ze een gave huid heeft. Ze zal wel voorzichtig zijn met zonnen, veronderstelt hij. Angela draagt altijd een gezichtscrème met ingebouwde bescherming tegen uv-stralen en hij vraagt zich af of die vrouw dat ook doet. Ze nipt van haar koffie. Futh werpt een blik op het omslag van het boek dat ze staat te lezen en herkent het als een roman die hij ook in Angela's bezit heeft gezien.

Futh heeft zijn salami naar binnen gewerkt en staat op. Met zijn bord in de hand loopt hij terug naar het buffet dat aan één eind van de bar staat uitgestald. Hij wil nog wel meer. Er staat een kleine rij en hij sluit achteraan, zodat hij toevallig ook net zo'n beetje naast de vrouw staat die daar nog steeds aan de bar staat te lezen.

'Hallo,' zegt hij.

De vrouw reageert niet.

Hij probeert het nog een keer. 'Mooi boek?' vraagt hij.

Haar blik gaat naar de bovenkant van een nieuwe pagina en ze wendt haar hoofd iets van hem af.

Hoewel ze daar met een Engels boek staat, met een titel die hij ook van Angela kent, herhaalt hij de vraag in het Duits. 'Goed boek?' vraagt hij, en dan blijft hij onbeholpen staan, met zijn bord voor zich als een bedelnap. Zijn hand gaat naar zijn zak, op zoek naar de zilveren vuurtoren.

Hij schakelt weer over naar het Engels. 'U draagt hetzelfde parfum als mijn vrouw.'

Ze kijkt op en dan zakt haar blik af naar zijn broek, naar de hand die hij diep in zijn zak houdt en waar hij de zilveren vuurtoren mee vasthoudt. Zijn duim wrijft angstvallig over de gladde, warme koepel. Futh merkt dat de rij voor het buffet verdwenen is en loopt door.

Terug in zijn kamer gaat Futh op het bed zitten en voelt aan de pijnlijke plekken op zijn voeten. Hij ziet zijn sandalen in zijn koffer liggen, haalt ze eruit en probeert ze aan met een paar sokken. Zelfs zonder pleisters zijn de sandalen een verademing; ze schuren nergens langs zijn pijnlijke plekken.

Als hij het hotel verlaat, laat hij zijn wandelschoenen op de veranda staan. Hij kijkt er niet eens naar. Hij verwacht niet dat het de komende dagen nog zal regenen.

Hij steekt de rivier weer over en komt in een bosrijk gebied. Het is goed, denkt hij, terwijl hij met grote passen op weg gaat, om dingen achter te laten. Hij wou bijna wel dat zijn koffer, die meer dan halfvol zit met vuile was, niet naar het volgende hotel werd doorgestuurd. Hij zou het best redden met wat hij bij zich heeft en aanheeft. Hij zou zijn kleren elke avond in de wastafel op de hand kunnen wassen en ze buiten te drogen hangen.

Hij zou zelfs met minder dan dit toe kunnen, denkt hij. Er zit van alles in zijn rugzak wat hij eruit zou kunnen gooien – hij kan zich ook prima redden zonder een extra paar wandelsokken en een naaisetje. Hij heeft zijn kampeervork annex -lepel noch zijn kompas ook maar één keer gebruikt. Hij heeft al de hele week met een boek gesjouwd dat hij sinds zijn vertrek niet één keer heeft ingekeken. Hij heeft zijn zwembroek en een handdoek bij zich, omdat hij dacht dat hij misschien wel een duik in de Rijn zou kunnen nemen, al was het maar om het tegen zijn vader, tegen Kenny, tegen zijn tante Frieda te kunnen zeggen. Maar het ziet er allemaal veel te diep uit, de stroming lijkt hem te sterk en het water veel te koud. Hij heeft het idee dat je zelfs nergens kunt pootjebaden.

Hij heeft zijn lijvige reisgids niet gelezen – hij kijkt nooit waar hij heen gaat. Dat boek leest hij later wel, op de boot terug naar Engeland, of misschien wel helemaal nooit. Hij is een keer naar Rouen geweest en had daar enige uren vol ontzag voor de middeleeuwse huizen rondgelopen, de geschiedenis in zich opsnuivend, om er later, op de terugweg, lezend in zijn reisgids, achter te komen dat die huizen allemaal nep waren, allemaal na de oorlog gebouwd.

Hij is zich ten zeerste bewust van de zilveren vuurtoren in zijn broekzak. Hij heeft er nooit eerder last van gehad, maar nu zou hij wel willen dat hij hem niet had meegenomen, hij prikt bij elke stap die hij zet in zijn lies en het gewicht drukt onophoudelijk tegen zijn been. Hij zou de vuurtoren ook in zijn koffer kunnen doen, bedenkt hij, dan zou hij nog lichter reizen.

In zijn achterzak heeft hij condooms, 'protectie', zoals zijn tante Frieda ze noemde. Het lijkt er niet op dat hij ze nodig zal hebben.

Hij denkt aan alle dozen die in zijn nieuwe flat ongetwijfeld al op hem staan te wachten. Hij wou dat ze daar nog niet stonden. Hij zou liever hebben gehad dat hij aan het eind van de week naar zijn flat ging en dat hij er slechts in neutrale tinten geschilderde muren zou aantreffen, vlekbestendige vloerbedekking en wat elementaire meubelstukken – en niet al die spullen die tot het verleden behoren, tot een huwelijk dat voorbij is. Hij wou dat hij het allemaal had achtergelaten, dat hij het Angela had laten houden of alles had laten weggooien. Sterker nog, hij zou liever hebben gehad dat hij niet eens meer terug zou hoeven.

Als kind had hij vaak fantasieën waarin hij van huis wegliep en een ander uiterlijk en een andere naam aannam, zodat ze hem niet meer zouden kunnen vinden en hij gewoon zou kunnen verdwijnen. Hij vindt het nog steeds een aanlokkelijk idee en hij zou het nog best kunnen doen ook, bedenkt hij; hij zou ergens heen kunnen gaan en een nieuw leven kunnen beginnen. Hij zou in Duitsland kunnen blijven of naar New York kunnen gaan. Hij zou gewoon nooit naar huis kunnen gaan, zodat Angela en zijn vader en Gloria zich zouden afvragen wat er van hem geworden was. Hij vraagt zich af wie het eerst zou merken dat hij er niet was.

Toen zijn moeder weg was, ontdeed zijn vader zich van alles wat van haar geweest was, alles wat ze niet had meegenomen. Hij stookte een vuur voor Futh wakker werd, waar hij de hele boel op gooide: al haar boeken, foto's nog in hun lijstjes, de schilderijtjes die ze nooit had opgehangen, mappen vol huiswerk voor de Open Universiteit, haar prikbord waar nog verschillende onleesbare lijstjes aan hingen, zelfs meubels die hij eerst kapotsloeg, zelfs kleren en de stof voor de keukengordijnen, zelfs haar wandelschoenen, en die van Futh, en voor de zekerheid gooide hij ook nog iets op het vuur om ervoor te zorgen dat alles verteerd werd, zodat er uiteindelijk een enorme stank in de lucht kwam te hangen, een hete walm. Hij trok de bloemen en het onkruid uit de border die ze had aangelegd en vervolgens verwaarloosd, tussen het klimrek en het hek. En terwijl in de tuin het vuur woedde maakte hij het huis schoon, hij stofzuigde en boende tot er niets meer over was van de moeder van Futh, niet meer dan een geur van desinfecterende middelen die in het hele huis bleef hangen. Hoewel Futh veronderstelde dat er toch microscopische deeltjes moesten zijn die zijn vader over het hoofd had gezien, nog afgezien van de boeken onder de matras van Futh – de verboden boeken van zijn moeder – en de zilveren vuurtoren, die Futh nog steeds bij zich droeg, waar hij ook was.

Hij kijkt op zijn horloge en ziet dat het lunchtijd is. Hij had een heleboel salami voor zijn ontbijt gegeten en daarna, na die gênante ontmoeting met die vrouw aan de bar, had hij nog meer opgehaald bij het buffet, maar als hij erover nadenkt zou hij zo weer kunnen eten. Hij wil flink wat vlees en koolhydraten naar binnen werken, om kracht op te doen. Wat hij echt graag zou willen is een grote hamsandwich en een huisgemaakte taart of pastei, maar hij had slechts ruimte in zijn zakken voor een onbelegd broodje en een kleine banaan van het buffet. Maar, denkt hij, heeft hij eigenlijk wel meer dan dat nodig? Hij zou toch zeker zo kunnen leven en niet meer eten dan hij werkelijk nodig heeft, heel weinig uitgeven en zich toch redden? Op een open plek gaat hij zitten en twee minuten later heeft hij zijn lunch op en heeft hij nog meer trek dan toen hij eraan begon. Maar is het niet goed, denkt hij, een beetje trek, en vasten, voor de ziel?

Hij zou kunnen leven van wat het land hem te bieden had, en wild vlees eten. Er zijn mensen die eekhoornvlees eten en de rivier is er ook nog. Of hij zou een rondtrekkende asceet kunnen worden en overleven op wortels en bessen. Maar, bedenkt Futh, gaan die niet dood, althans sommigen? Dat ze omkomen van de honger of vermist raken in de woestijn?

Hij denkt aan de overvloedige maaltijden die Gloria voor hen tweeën maakte toen zijn moeder er niet meer was. Zijn vader ten spijt had Futh de gewoonte aangenomen om zo vaak hij kon rond etenstijd naar Gloria te gaan. Soms gaf ze hem een of ander drankje, dan wilde ze dat hij een nieuw likeurtje of een cocktail probeerde, en soms gaf ze hem te eten. Zelfs als hij net met zijn vader gegeten had ging hij toch nog naar Gloria voor meer. 'Jullie zijn net holle vaten,' zei ze tegen hem, 'jullie jonge jongens.'

Futh had verondersteld dat Kenny – wiens vader voor zijn werk altijd veel moest reizen en die soms weken of maanden achtereen in Europa zat – heel ver weg woonde. Hij had ansichtkaarten en brieven met buitenlandse postzegels verwacht. Hij was postzegels gaan verzamelen, hoewel hij er tot dusver nog maar één had van zijn tante Frieda.

Maar nu zat Futh geregeld bij Gloria in de keuken zijn tweede maaltje naar binnen te werken als Kenny daar gewoon binnen kwam vallen, omdat hij na een voetbaltraining of jiujitsu of een andere activiteit door zijn vader bij het huis van zijn moeder was afgezet. Kenny bleek maar enkele kilometers verderop te wonen en bleef zelfs met enige regelmaat bij zijn moeder slapen.

Kenny at ook wel in de keuken, maar daarna ging hij naar zijn kamer en deed hij de deur achter zich dicht. Soms ging Futh ook naar Kenny's kamer en hing bij hem rond, en soms zei Gloria: 'We kunnen hem beter even met rust laten. We houden elkaar wel gezelschap.'

Kenny was gaan roken. Op een avond ging Futh naar zijn kamer en stond Kenny bij het open raam, zodat er geen rook naar binnen zou gaan. Hij ging naast hem staan en keek naar zijn eigen huis, waar zijn vader languit op de bank lag en waar het enige licht – flikkerend en flakkerend – van de televisie afkomstig was, die Futh zacht had gezet voor hij de achterdeur uit ging.

Kenny blies kringeltjes rook uit het raam en blies Futh er ook een in het gezicht. Futh kneep zijn ogen dicht.

'Hier,' zei Kenny en hij hield de sigaret voor aan Futh, die hem aannam.

Toen Gloria, die Futh niet de trap op had horen komen, de deur opendeed en zei: 'Sta jij hier te roken?' lag Kenny op bed in een motortijdschrift te bladeren. Futh probeerde wel aan te voeren dat hij niet degene was geweest die stond te roken, maar daar wilde Gloria niks van weten. 'Je bent op heterdaad betrapt,' zei ze. 'Of je hebt hier staan roken of je was het net van plan.'

Ze stuurde hem naar huis, naar zijn vader. 'Ik zal hem wel bellen,' zei ze, 'en uitleggen waarom ik je naar huis heb gestuurd.' Futh had nooit ook maar een sigaret naar zijn lippen gebracht, maar hij wist dat hij ervoor gestraft zou worden. Het was pas veel later dat Futh zich afvroeg waarom Kenny, die Gloria wel had horen aankomen, zijn sigaret niet gewoon uit het raam had gegooid.

Een andere keer had Gloria een film gehuurd die Kenny wilde zien. Futh zou ook komen en na afloop blijven slapen. De vader van Futh was niet bepaald enthousiast geweest, maar Gloria had met hem gepraat en het geregeld.

Futh pakte zijn pyjama, zijn tandenborstel, zijn slaapzak en zijn zaklamp, die hij uiteindelijk geen van alle zou gebruiken. Gloria had broodjes ham met appelmoes gemaakt en ze aten met z'n drieën in de keuken. Na het eten stuurde ze de jongens naar de woonkamer om de gordijnen dicht te doen en de band alvast in de videorecorder te stoppen, terwijl zij popcorn maakte. 'Bij een film hoort toch popcorn,' zei ze tegen Futh, 'of niet?'

'Ja,' zei Futh, hoewel hij van de geur van popcorn alleen al misselijk werd.

Kenny haalde de video uit het doosje en duwde hem in de recorder, waarna hij met een stuurs gezicht in het hoekje van de bank ging zitten, met de afstandsbediening in de aanslag. Futh trok de gordijnen dicht en ging aan het andere eind zitten, zodat Gloria tussen hen in kon zitten. Hij wilde op haar wachten, maar Kenny had al op play gedrukt en wilde hem niet meer stopzetten. Onder de trailers pakte Futh een pot handcrème van Gloria die op de leuning van de bank stond en draaide het deksel eraf. Hij bracht de pot naar zijn neus en snoof de verrukkelijke geur op van mandarijntjes, een geur die in de verduisterde kamer nog beter tot zijn recht leek te komen.

'Waarom ben jij hier?' zei Kenny.

'Jij hebt mij gevraagd,' zei Futh verbaasd.

'Helemaal niet,' zei Kenny. 'Mijn moeder heeft je uitgenodigd.' Hij keek naar Futh die nog steeds met de crème in zijn handen zat. 'Zit daar niet aan te ruiken,' zei hij. 'Blijf van haar spullen af.' Futh zette de pot neer, maar Kenny stond toch op. 'Ik ga naar mijn kamer,' zei hij. Hij ging naar boven en Futh pakte de afstandsbediening die op een kussen was blijven liggen en drukte op pauze.

Gloria verscheen in de deuropening met een schaal popcorn in haar handen. 'Waar is Kenny?' vroeg ze.

'Ik geloof dat hij geen zin heeft in deze film,' zei Futh.

Gloria ging naar boven en toen ze terugkwam vroeg ze: 'Hebben jullie ruzie gehad?'

'Nee,' zei Futh. Hij was weer met de pot handcrème aan het spelen.

'Nou ja, hij doet gewoon moeilijk,' zei ze. 'Jij wilt hier toch niet alleen met mij naar kijken, of wel?' Maar evengoed kwam ze met de popcorn aan lopen. Futh vroeg zich af of hij naar boven moest om met Kenny te gaan praten. Misschien moest hij gewoon naar huis gaan. Maar Gloria kwam naast hem zitten en drukte weer op play. De film begon en hij verroerde zich niet. Ze zette de schaal popcorn op haar schoot en zei tegen Futh dat hij gewoon moest pakken. 'Ik maak altijd te veel,' zei ze, 'en we zijn nu maar met z'n tweeën.' Ze pakte haar pot met handcrème, deed op haar beide handen een likje en smeerde het uit. De geur van popcorn vermengde zich met de geur van mandarijntjes.

Futh viel in slaap op de bank, tegen Gloria aan, en Gloria moest hem bij Kenny in bed hebben gelegd, in plaats van in zijn slaapzak op de grond, want daar lag hij toen hij de volgende morgen wakker werd en Kenny de dekens opsloeg en zei: 'Oprotten.'

Na die keer vielen de bezoekjes van Kenny nooit

meer samen met die van Futh. Als Futh naar Gloria
ging, vroeg hij altijd eerst of Kenny er was, maar Kenny was altijd bij zijn vader of ergens anders. 'Maar,'
zei Gloria, 'kom maar gewoon binnen en hou me gezelschap.'

Futh begint een beetje trek te krijgen en plukt wat
bramen, die hij snel opeet om niet stil te staan bij de
larven die er misschien in zitten. Als hij zijn arm dieper in de struik steekt om er nog meer te plukken,
halen stekels die hij niet gezien heeft zijn handpalm
open. Hij trekt zich los en loopt zonder zijn tweede
portie bramen verder, zuigend aan de wondjes. Pas als
hij blijft staan om op zijn kaart te kijken en hij de rode
vlek ziet die hij erop maakt, als hij naar zijn hand kijkt
en er nog steeds bloed uit ziet komen, dringt tot hem
door hoe diep de wond is. Toch, denkt hij, terwijl hij
zijn rugzak van zijn schouders laat glijden, zijn ver-
banddoosje eruit haalt en een pakje desinfecterende
doekjes openscheurt, is dit nog niets vergeleken met
een hoofdwond.

Niet lang na het logeerpartijtje was hij Kenny onverwacht tegen het lijf gelopen toen hij Angela van
school naar haar huis was gevolgd en hij de verkeerde
weg terug had genomen. Hij was in een wijk beland
die hij niet kende. Na afloop had hij op een platte-
grond gekeken en had hij verbaasd gestaan dat hij zo
dicht bij huis was, maar op dat moment had hij geen
flauw idee waar hij was, hij kon slechts raden welke
kant hij op moest en liep een lange steeg in die een
enorme omweg bleek te zijn.

Aan weerskanten stonden muren van zeker twee meter hoog, hoewel ze hier en daar iets lager waren omdat ze waren afgebrokkeld. Bovendien zaten er bochten in, zodat Futh het eind van de steeg ook niet kon zien. Hij was al halverwege toen hij de geur opsnoof van sigarettenrook. In de volgende bocht zag hij opeens Kenny tegen de muur aan staan. Hij stond weer rookringen te blazen.

Eerst leek het erop of Kenny alleen was, maar toen Futh de bocht bijna uit was zag hij dat er ook nog andere jongens bij waren. Een paar leunden tegen de muur en een paar anderen zaten op een stuk waar de muur wat lager was. Futh herkende een aantal van hen van school, en iets in hem zei dat hij rechtsomkeert zou moeten maken of over de muur zou moeten klimmen, dat hij een andere weg zou moeten nemen, maar dat deed hij niet, hij bleef gewoon doorlopen, als een trein die voortraast over de rails.

Hij dacht dat Kenny hem misschien wel zou negeren, of erger nog, dat hij hem belachelijk zou maken waar die andere jongens bij waren, dat hij zou zeggen dat Futh een keer in zijn bed had gezeken, of misschien had hij dat al wel verteld. Hij vroeg zich af of hij even moest blijven staan en hallo zeggen of dat hij gewoon recht voor zich uit moest kijken en doorlopen.

Toen hij het groepje nog dichter naderde, zag hij dat Kenny hem zag. Hij ging iets langzamer lopen en een van de andere jongens zei iets waarna ze allemaal naar hem keken en begonnen te lachen. Futh was nu ter hoogte gekomen van Kenny, zag de blik in zijn ogen en bleef gewoon doorlopen, om en over allerlei puin en rotzooi heen. Een leeg blikje stuiterde van zijn schouder, gevolgd door een stuk van een baksteen dat hem op zijn achterhoofd raakte.

Hij kwam thuis met bloed aan zijn vingers, omdat hij aan zijn schedel had gevoeld waar het pijn deed. Hij ging naar de badkamer, pakte de jodium en deed daar wat van op een prop watten. Dat had zijn moeder zo vaak gedaan, zijn wonden verzorgd terwijl hij op de rand van het bad zat. Hij voelde waar de wond zat, drukte de prop watten ertegenaan en deed gerustgesteld zijn ogen dicht toen het begon te prikken.

Zijn vader had zeker de watten in de prullenbak zien liggen, of misschien had hij gewoon de wond op zijn achterhoofd gezien, maar hoe dan ook, hij wilde per se van Futh weten wat er gebeurd was. 'Jij moet eens leren voor jezelf op te komen,' zei hij.

Futh haalde wel een paar foldertjes en overwoog even op jiujitsu te gaan, maar dat was uiteindelijk toch niks voor hem.

Futh zag Kenny pas weer op de open dag van de universiteit. Ook daarna hielden ze niet echt contact, maar Gloria had het wel vaak over hem. Futh hoorde dat Kenny na zijn eindexamen een baantje bij een tankstation had gehad, en later bij een fietsenmaker, dat hij getrouwd was, en kinderen had, en een avondopleiding had gedaan, zodat hij monteur kon worden.

Toen Kenny een baan kreeg bij een occasionbedrijf zei Gloria tegen Futh: 'Als je een auto moet hebben, moet je daarheen gaan. Hij kan wel korting voor je regelen.' Futh overwoog soms wel om erheen te gaan en wat tweedehandsauto's te bekijken, en een babbeltje te maken met Kenny, maar hij kon niet rijden en het nemen van rijlessen stelde hij uit tot hij in de veertig was. Toen hij uiteindelijk een tweedehandsauto wilde aanschaffen, ging hij naar een andere dealer.

Futh doet zijn verbandtrommeltje weer in zijn rugzak en pulkt al lopend wat zaadjes van bramen uit zijn gebit. Hij denkt aan de larven die hij nu gegeten heeft en aan de woorden van Carl: 'Heb jij ooit ergens een slecht voorgevoel over en dat het dan ook gebeurt?'

Hij had Carl best aardig gevonden. Hij overweegt zijn wandeltocht een dag eerder te besluiten en naar Utrecht te gaan, naar het schone, sober ingerichte appartement van Carls moeder, en daar te overnachten en Carl zaterdag een lift naar de veerboot te geven. Maar hij heeft geen telefoonnummer van Carl, hij weet niet hoe hij van achteren heet en hij heeft het adres van zijn moeder ook niet opgeschreven. Hoe aanlokkelijk het hem ook lijkt, hij zet het idee van zich af. Hij zal Carl op de boot terug wel weer zien.

Onder het lopen blijft het verband dat hij met pleisters op zijn handpalm heeft geplakt herhaaldelijk aan de rits van zijn broekzak haken. Tegen de tijd dat hij bij zijn hotel voor die nacht aankomt is het verband eraf en is de wond weer gaan bloeden, op zijn broek.

In zijn hotelkamer doet hij weer jodium op de wond en brengt hij een nieuw verband aan. Hij trekt een andere broek aan en legt de zilveren vuurtoren weg in zijn koffer.

Hij doet het raam open en blijft een tijdje staan kij-

ken naar het uitzicht en naar de mensen, meest stelle-
tjes, die overal bij restaurants en winkeltjes blijven
staan om de menukaart dan wel de etalage te bekijken.
Onder zich ziet hij het langzaam aflopende, met klim-
op bedekte dak van de veranda. Het raam is klein,
misschien te klein om erdoorheen te klimmen, maar
ernaast is ook nog een groter raam. Als hij naar de
deur loopt werpt hij een blik door het grotere raam en
ziet daar pal onder de puntige spijlen van een hek.

Hij loopt de entree van het hotel uit en blijft een
eindje verderop voor een winkel staan om een rek met
ansichtkaarten te bekijken. Voor Angela kiest hij een
ansichtkaart van een bloemenmarkt, voor zijn vader
een van een kraampje met alleen maar appels en voor
tante Frieda een panorama van de Rijn. Hij koopt
postzegels en een pen. Hij eet alleen aan een tafeltje
voor twee op een groot, winderig plein en schrijft de
ansichtkaarten bij een kopje koffie. Als hij daarmee
klaar is steekt hij zijn pen bij zich en voelt hij routine-
matig aan zijn lege broekzak, dan brengt hij zijn hand
met het nieuwe verband, en een geur van desinfecterend middel, naar zijn neus.

Hoofdstuk 12 – Liefdesverhaal

Ester zit op haar vaste kruk aan de bar achter een glas gin-tonic. Haar hand gaat de hele tijd naar haar haar, dat nu wel heel kort en wit is. Met dit kapsel, begint ze steeds meer te denken, is ze net haar vader.

Ze heeft oude kleren en platte schoenen aan: ze kan de kamers moeilijk in een mooie jurk en op hoge hakken doen. Maar zodra het glas leeg is gaat ze naar boven, een dutje doen en zich omkleden, dan trekt ze haar roze satijnen jurk weer aan, met de bijpassende stilettohakken. En een wolkje parfum. Ze heeft besloten er voortaan elke dag enige moeite voor te doen – ook vandaag, al is Bernard er niet om het op te merken. Ze voelt zich er goed bij, en er is altijd wel iemand die kijkt en die haar inspanningen weet te waarderen.

Bernard is een paar dagen de stad uit. Hij is naar zijn moeder en daar gaat hij altijd alleen naartoe.

Ester gaat naar boven, trekt haar schoenen uit en gaat aan haar kant van het bed liggen. Ze pakt het boek dat op haar nachtkastje ligt – een liefdesverhaal. Ze verzamelt romannetjes, ze heeft er honderden. Als ze lekker ligt begint ze te lezen. Dan draait ze zich op haar zij, met haar gezicht naar Bernards kant van het bed, schuift iets dichter naar zijn kussen toe en inhaleert de vage geur van hem die daar is blijven hangen. Op de tast pakt ze het flesje kamferolie dat ze uit de badkamer heeft gehaald van haar nachtkastje achter zich en laat een paar druppels op een punt van zijn kussensloop vallen.

Dat doet ze altijd als Bernard van huis is, dan heeft ze in elk geval zijn geur in bed. Er zijn mensen die niet van de geur van kamferolie houden; voor anderen is het een verslaving. Kamferolie wordt, onder meer, gebruikt als mottenwerend middel en als afrodisiacum.

Ze gaat weer lekker liggen, met haar wang tegen zijn kussen en één arm uitgestrekt over het lege bed.

Ze heeft geprobeerd zelf een romantisch liefdesverhaal te schrijven. Ze heeft verschillende versies in het laatje bij haar bed liggen, maar ze vindt eigenlijk geen van alle goed genoeg. Ze heeft nooit iets aan Bernard laten lezen. Ester houdt niet van haar heldin, en haar eind klopt niet. Ze haalt haar pogingen af en toe uit het laatje en kijkt ernaar, en dan verandert ze altijd wel iets, of ze begint aan een nieuwe versie. Ze is wel ooit aan een ander verhaal begonnen, maar toen had ze niet eens de moeite genomen de naam van de vrouw te veranderen – het was eigenlijk niet meer dan een nieuwe onvoldragen versie van het oude verhaal, dat zo weer in de la kon.

Ze wordt wakker met haar gezicht in het kussen van Bernard. Een hoekje van haar romannetje prikt in haar lijf. Ze is uitgehongerd.

Ze trekt haar werkkleren uit en gaat aan haar kaptafel zitten om weer make-up aan te brengen, waarna ze haar nieuwe jurk aantrekt. Dan stapt ze in de schoenen met de stilettohakken en gaat ze naar beneden.

Ze verwacht eind van de middag een gast – eenpersoonskamer, één nacht, met ontbijt. Tot die tijd is het rustig. Het nieuwe meisje staat achter de bar. Afgezien van haar en Ester is er niemand, behalve een oud echtpaar dat in de erker gidsen en brochures zit te lezen. Ester gaat op haar kruk zitten en vraagt het meisje om een drankje en een paar zakjes pinda's.

Bernard heeft haar bijna een jaar geleden aangenomen, maar hij noemt haar nog steeds 'het nieuwe meisje', en Ester ook. Het meisje is een jaar of twintig, slank, met lange armen en benen. Ze heeft een paardenstaart en draagt geen make-up. Ze heeft een mooie huid. Ester kijkt naar haar, gefascineerd door haar jeugdigheid. Ze vraagt zich af of Bernard ooit zo naar het meisje heeft gekeken. Ze heeft het hem nooit zien doen. Ester trekt haar rug recht en doet haar benen over elkaar. Ze voelt zich zwaar. Haar make-up voelt aan als een dikke laag op haar huid. Ze voelt zich overdadig gekleed. Als ze naar haar indrukwekkende schoenen kijkt ziet ze de opgezwollen aderen in haar voeten, de spatadertjes in haar kuiten.

Het oudere echtpaar heeft zijn drankjes op. Ze pakken hun spullen bij elkaar en gaan ervandoor. Ester ziet ze door het raam weglopen, ze lopen hand in hand en moeten ergens om lachen. Ze drinkt haar gin en de wijzers van de enorme klok aan de muur doen langzaam hun ronde.

De gast komt om vijf uur binnen. Als hij de deur opendoet, komt het late licht van de zon met hem mee naar binnen vallen. Hij komt van ver, en heeft een zware rugzak, maar hij is fit en sterk. Hij is jong, jonger dan Ester maar niet zo jong als het nieuwe meisje. Hij loopt naar de bar en haalt een vel papier uit zijn zak dat hij aan het meisje voorhoudt. 'Ik heb een kamer gereserveerd,' zegt hij. Hij spreekt Engels en het meisje verstaat hem niet, maar ze glimlacht wel naar hem.

'Ik ben degene die je moet hebben,' zegt Ester.

Hij kijkt twijfelachtig naar haar en dan nog eens naar het meisje, dat weer glimlacht en een losse haarlok achter haar oor duwt.

Ester laat zich behoedzaam van haar kruk zakken en loopt naar haar gast toe. Het getik van haar felroze hakken op de houten vloer wordt geaccentueerd door de stilte. Ze gaat vlak naast hem staan en buigt zich nog dichter naar hem toe om het papier te lezen dat hij nog altijd aan het meisje voorhoudt. Ze kan de warmte van zijn huid voelen, de haartjes op zijn arm strijken langs de hare. 'Ja,' zegt ze. 'Kom, ga maar even zitten. Dan kun je eerst eten, laat ik je daarna je kamer zien.'

Ze neemt de jongen mee naar een tafeltje voor twee personen en laat hem daar plaatsnemen, waarna ze naar de keuken gaat om zijn vleeswarenschotel uit de koelkast te halen. Terug in de bar haalt ze de plasticfolie eraf, zet ze de schotel voor de jongen neer en gaat ze tegenover hem zitten. 'Tast toe,' zegt ze. Als hij aarzelt pakt ze een plakje worst van zijn schotel en houdt het voor hem op: 'Probeer dit maar eens.' Als hij zijn mond niet voor haar opendoet, brengt ze het hapje naar haar eigen mond. 'Het is heel lekker,' zegt ze.

Ze laat het meisje wat te drinken brengen. Als het meisje de glazen op het tafeltje zet, ziet Ester haar een blik op de jongen werpen en vangt ze een zweem van een glimlach op voor het meisje weer terugloopt naar de bar. Ester buigt zich naar voren en pakt een reepje ham van de schotel van de jongen. 'O, die ham is lekker,' zegt ze, deze keer zonder het hem aan te bieden: ze steekt het rechtstreeks in zijn mond en duwt het met haar wijsvinger tussen zijn lippen. Ze voelt zijn tanden tegen het vingertopje.

Dan begint de jongen te eten, snel en zwijgend, tot het bord half leeg is, waarna hij zijn stoel naar achteren schuift met de woorden: 'Ik zou nu graag naar mijn kamer gaan.'

'Ja,' zegt Ester, zuigend aan een vette vingertop. 'Kom maar mee.' Ze loopt naar haar bureau, zet een vinkje in haar map en pakt zijn sleutel van het haakje. 'Je krijgt kamer tien,' zegt ze, 'dat is naast mijn kamer.' Ze pakt de rugzak die tussen zijn voeten staat en draagt hem naar de lift. Hij voert aan dat dat echt niet hoeft, maar ze staat al in de lift met zijn rugzak en wacht tot hij erbij komt staan. Zodra hij in de lift staat drukt ze op het knopje en gaan de deuren dicht.

Nu staan ze met z'n tweeën in de geruisloos stijgende lift. 'Als je iets nodig hebt,' zegt ze, 'geeft niet wat, laat het me gerust weten.'

Ze draagt zijn rugzak door de gang naar de achterste kamer en blijft staan wachten terwijl hij de sleutel een beetje onhandig in het slot steekt en de deur opendoet. Ze neemt zijn rugzak mee naar binnen en legt hem op het bed. Dan klopt ze op de muur, vlak boven het hoofdeinde, en zegt: 'Je weet het, hè? Als je iets nodig hebt?'

'Van mij zult u geen last hebben,' zegt hij. Hij is nog niet naar binnen gegaan. Hij staat bij de deur en houdt die open.

'Er heeft helemaal niemand last van jou,' zegt ze. 'Mijn man is er niet.'

Hij knikt, en als ze nog met één hand aan zijn rugzak blijft staan zegt hij: 'O ja, natuurlijk.' Hij steekt een hand in zijn broekzak, zoekt de laagste coupure uit die hij bij zich heeft en houdt haar het briefje voor.

Dan loopt ze bij het bed weg en langs hem heen de deur uit zonder het bankbiljet aan te nemen. 'Welterusten.'

Weer beneden eet ze op wat de jongen heeft laten liggen. Dat is haar avondeten. Meestal gaat ze naar bed voor de bar dichtgaat. Als er geen klanten zijn en Bernard is weg, zegt ze soms tegen het meisje dat ze wel naar huis mag gaan. Ook deze avond zit er verder niemand, maar als het meisje voorstelt wat vroeger te sluiten schudt Ester het hoofd: ze moeten open blijven, zegt ze, er kan nog iemand komen. Ze blijft op haar barkruk zitten kijken naar het meisje, dat niks te doen heeft. Pas als de grote klok aangeeft dat het sluitingstijd is zegt Ester: 'Goed. Ga maar naar huis.' Het meisje zet de stoelen omgekeerd op de tafeltjes en pakt haar jas en haar tas. Ester is al op weg naar boven. 'Sluit jij af?' zegt ze tegen het meisje.

Ze neemt nog even een schuimbad alvorens in bed te gaan liggen. Ze valt snel in slaap, maar wordt weer gewekt door een zacht, kloppend geluid, dat langzaam aanzwelt tot een steeds sneller en feller geroffel op de muur.

Hoofdstuk 13 – Sigarettenrook

Het belooft een warme dag te worden. Futh heeft zijn sandalen weer aangetrokken, maar zonder de sokken, zodat het inwit van zijn blote voeten tussen de riempjes te zien is. Het is pas negen uur 's morgens, maar de zon heeft al een behoorlijke kracht. Onderweg de stad uit voelt hij hem branden in zijn hals en achter tegen zijn benen.

Hij komt langs een brievenbus en gooit daar de ansichtkaarten in die hij de avond tevoren heeft geschreven. Hij vermoedt dat hij zijn vader en tante Frieda en Angela weer zal zien voor de kaarten zijn aangekomen, maar goed, dat hele ritueel hoort nou eenmaal bij een vakantie. Hij heeft Gloria ook op de kaart voor zijn vader gezet, maar hij heeft Kenny niet geschreven.

Ook toen de vader van Futh bij Gloria was ingetrokken zag Futh Kenny niet veel. Kenny meed hun familiebijeenkomsten en was er nooit bij op de avondjes van zijn moeder of op de zondagen dat de vader van Futh uitgebreid kookte. Maar goed, toen Kenny in de twintig was had hij al zijn eigen gezin, had hij al kinderen, en Futh, werd daarbij gezegd, was maar alleen.

Maar als Futh bij zijn vader op bezoek was, vond hij altijd wel een excuus om even de deur uit te gaan, en aangezien Gloria vlak bij Kenny woonde zag Futh hem toch af en toe.

Eén keer was Futh in de supermarkt om vlees, aardappelen en wijn te kopen voor de zondagse lunch die zijn vader wilde bereiden. De geuren van vers brood die overal verspreid werden lokten hem naar de broodafdeling. Daar trof hij Kenny aan, die allerlei broodjes bekeek, er even in kneep en ze dan weer teruglegde.

'Hoe is het?' vroeg Futh.

'Ik heb trek,' zei Kenny. Hij nam een koffiebroodje in zijn met olie besmeurde hand en legde het weer terug met een afdruk van zijn duim in het glazuur. 'En jij?'

'Ik heb een vriendin,' zei Futh. 'Jij hebt haar ook ontmoet. Ze was op die open dag van de universiteit – dat meisje dat ik nog van school kende.'

Kenny bestudeerde een crèmegebakje, stak zijn vinger in de crème en likte hem af. 'Dat meisje dat zich jou niet kon herinneren,' zei hij. 'Ga je met haar?'

'Ik ben haar toevallig weer tegengekomen,' zei Futh.

Terwijl Kenny een aantal peperkoeken uitzocht, vroeg Futh naar zijn vrouw en kinderen. Kenny wees naar een vrouw die bij de koekjes stond met een tweeling: twee jongetjes die niet alleen sprekend op elkaar maar ook sprekend op Kenny leken.

Futh had intussen drie koffiebroodjes in een zak gedaan. Pas toen hij wegliep realiseerde hij zich dat hij ook het broodje moest hebben waar Kenny een afdruk van zijn duim op had achtergelaten. Hij vond het te gênant om terug te gaan en dat koffiebroodje om te ruilen waar Kenny bij stond, dus liep hij gewoon door naar de kassa, in de wetenschap dat hij dat ene broodje zou moeten nemen.

Hij zag Kenny weer op een industrieterrein in de buurt, waar ook een winkel was waar ze tenten en allerlei outdoorartikelen verkochten. Futh vond het leuk in zulke winkels rond te struinen en met het idee te spelen om te gaan klimmen of kajakken dan stelde hij zich voor dat hij in zijn eentje een trektocht door de bergen maakte, of in zijn eenpersoonskano de ene stroomversnelling na de andere nam. Dat was voor hij met Angela trouwde. Hij keek naar tenten en soms kocht hij iets kleins – handschoenen of een zaklantaarn. Hij kocht ook allerlei gidsen en handboeken. Die dag had hij onder meer een pil van vijfhonderd bladzijden over ijsklimmen gekocht, en in een laatste opwelling nog een boek over abseilen, een paar flinke batterijen en een vork annex lepel. Toen hij over de parkeerplaats liep kwam hij langs een auto en zag hij opeens Kenny zitten. Hij liep ernaartoe om Kenny te begroeten, maar klopte niet meteen op het raampje, want hij zag nu dat er een vrouw naast hem zat, en hij kon niet zien of het de vrouw van Kenny was. Ze hield haar handen voor haar gezicht en ging goeddeels schuil achter Kenny, die een arm om haar heen had geslagen. Ze was van streek, maar Kenny zei iets wat leek te helpen. Het raampje stond op een kier open, Futh rook de sigarettenlucht van Kenny. De vrouw liet haar handen zakken en zocht in haar tasje naar een papieren zakdoekje. Futh wilde hen niet storen en liep weer door. Het was anderhalve kilometer naar de flat, en het handvat van zijn plastic zak sneed in zijn handen.

Hij vraagt zich af wat Angela momenteel aan het doen is, maar realiseert zich dan dat ze even na negenen op een donderdagmorgen natuurlijk gewoon aan het werk is. Dan zal ze wel niet aan hem denken.

Angela had even overwogen natuurkunde te gaan studeren aan de plaatselijke universiteit, maar had vervolgens ergens anders één semester Engels gestudeerd. Daar was ze mee gestopt en toen was ze biologie gaan doen, waarna ze op de redactie van een wetenschappelijk tijdschrift was gaan werken. Dat had haar nooit echt gelegen. Ze klaagde er altijd over. Soms waren dat specifieke klachten en soms was het gewoon algehele onvrede. Ze hield de personeelsadvertenties in de krant altijd in de gaten en soms kruiste ze er een aan, zij het nogal willekeurig, in de ogen van Futh. Hij heeft nooit echt geweten wat ze wilde.

Op hun huwelijksreis, toen hun huurauto het had begeven, deden ze de motorkap open en stonden ze in de stromende regen wanhopig naar de levenloze motor te kijken, toen Angela zei: 'En dan te bedenken dat ik ergens heen wilde waar het warm was.'

'Dat had je dan moeten zeggen,' zei Futh. 'Jij zei dat je alles goed vond.'

'Maar dit niet,' zei ze.

Futh haalde de handleiding uit het dashboardkastje

en zocht de pagina op waar de motor op stond afgebeeld. Hij liep weer naar de voorkant van de auto en bleef daar een hele tijd voornamelijk naar die tekening staan kijken, met af en toe een bedachtzame blik op de motor zelf.

'Was Kenny maar hier,' zei Angela.

Futh draaide een vettige dop los. Hij keek er eens goed naar, keek naar het ding waar hij de dop af had gedraaid en draaide hem er weer op, zodat zijn handen nu vies waren.

'We kunnen best zonder Kenny,' zei hij.

Angela leek daar minder zeker van.

Toen Futh eindelijk had leren autorijden, in het laatste jaar van zijn huwelijk, kocht hij een tweedehandsauto die in de plaatselijke krant te koop werd aangeboden. Gloria zei dat hij Kenny mee had moeten nemen, om de auto na te kijken voor hij hem aanschafte. Kenny had de verschillende gebreken die de auto bleek te hebben wellicht opgemerkt.

De allereerste keer dat Futh ermee naar zijn werk wilde gaan had hij net een kilometer gereden toen hij besefte dat hij een lekke band had. Hij vroeg zich af of hij een auto had gekocht met een langzaam leeglopende band. Hij had nooit eerder een band hoeven verwisselen maar was vastbesloten het zelf te doen. Hij haalde zijn reservewiel en de krik tevoorschijn en kreeg het met behulp van de handleiding voor elkaar. De lege band en het gereedschap legde hij met een intens tevreden gevoel in de kofferbak. Maar hij was wel vies geworden. Hij had vet en gruis aan zijn handen, onder zijn nagels en aan zijn kleren. Hij besloot eerst langs huis te gaan om een douche te nemen en andere kleren aan te trekken.

Hij parkeerde de auto vlak bij huis. Toen hij de motor uitschakelde zag hij tot zijn verbazing dat de voordeur openstond. Angela zou vlak na hem ook naar haar werk gaan, maar ze was weer zwanger en hij vroeg zich af of ze zich misschien niet lekker had gevoeld. Hij wilde net het portier opendoen en uitstappen toen hij zag dat het niet Angela was die naar buiten kwam, maar Kenny, met een sigaret in zijn mond. Kenny leek hem even recht aan te kijken en Futh wilde al in een reflex achter het dashboard wegduiken, maar Kenny draaide zich om, trok de voordeur dicht en smeet zijn peuk op de grond. Futh vroeg zich af of de voorruit de zon misschien weerspiegeld had zodat Kenny hem toch niet gezien had. Zonder nog een keer zijn kant op te kijken controleerde Kenny of zijn gulp dichtzat en liep hij weg.

Futh bleef nog even zitten en stapte toen uit. Met een blik op de nog smeulende peuk van Kenny maakte hij de voordeur weer open. Hij bleef enige tijd roerloos in de naar rook ruikende hal staan en ging toen naar boven. De deur van de slaapkamer stond open. Angela was zich aan het aankleden. Hij keek naar haar. Haar lichaam begon hem vreemd voor te komen.

Toen ze hem zag schrok ze. 'Wat doe jij hier?' Ze wachtte zijn antwoord niet af en voegde er met een blik op het onopgemaakte bed aan toe: 'Ik ben net uit bed. Ik voelde me niet zo lekker. Een beetje ochtendmisselijkheid, denk ik.'

De slaapkamer rook naar sigarettenrook en dat zei hij. 'Ik had liever dat je niet rookte,' hield hij haar voor, terwijl hij naar het bed liep om de lakens recht te trekken.

Het was Angela die, niet lang na dat bezoek van Kenny en kort voor de kerst, aan Futh te kennen gaf dat ze volgens haar beter uit elkaar konden gaan. Futh was stomverbaasd. Maar later bedacht hij hoe vaak hij haar wel niet met haar ogen had zien draaien of had horen zuchten, en dat hij dat allemaal al eens eerder had gezien en het misschien had moeten zien aankomen.

'Maar de baby dan?' zeiden zijn vader en Gloria, waarop Futh zei dat ze die verloren waren, een formulering die, veronderstelde hij, enige schuld suggereerde; misschien was het wel net zoiets als een schip verliezen dat niet opgewassen bleek te zijn tegen een natuurramp dan wel een ramp die door een menselijke fout werd veroorzaakt.

Ze kwamen overeen dat Futh degene zou zijn die ging verhuizen, maar hij ondernam vervolgens maanden achtereen geen enkele actie. Het was Angela die uiteindelijk een flat voor hem vond en die zijn spullen inpakte en een verhuisbedrijf in de arm nam om ze te komen halen.

Hij smeert wat zonnebrandcrème in zijn hals en op zijn benen. Dan, met het gevoel dat het verder alleen maar bergafwaarts zal gaan, hangt hij zijn rugzak weer om en gaat hij op pad.

Hij heeft geen lunch bij zich. Hij heeft die ochtend

niks bij zich gestoken: hij heeft zijn ontbijt genuttigd in een klein eetzaaltje, waar verder alleen de hotelhouder rondliep, die de hele tijd naar hem keek. Voor zover hij weet is hij onderweg de stad uit niet langs een bakker gekomen en hij heeft geen zin om rechtsomkeert te maken en onnodige kilometers af te leggen om er alsnog een te vinden. Bovendien is de etappe van vandaag betrekkelijk makkelijk. Hij verwacht halverwege de middag in het volgende hotel aan te komen, dus dan kan hij net zo goed daar een late lunch nemen en de rest van de middag lekker uitrusten.

Hij nadert het eind van zijn rondwandeling. Morgen is hij weer terug in Hellhaus en daarna gaat hij weer naar huis. Zij het dat hij niet echt naar huis gaat, maar naar zijn nieuwe flat. Hij denkt aan de grote voordeur die door alle bewoners gebruikt wordt, en aan de hal, de betonnen vloer die bezaaid ligt met rekeningen en reclamefolders. Hij denkt aan de rijen bellen en brievenbussen met de namen van al die vreemden eronder op stukjes papier. Bij zijn bel zal wel geen naam staan, denkt hij, of er staat misschien nog een andere naam. Hij denkt aan zijn onbekende voorganger en aan het bed, aan de vlekken en kuilen in de matras van mensen die er voor hem gewoond hebben. De flat is in elk geval gemeubileerd. Er zijn kasten en laden waar hij zijn spullen in kan doen, die momenteel nog in dozen zitten waar Angela op heeft geschreven wat erin zit. Er is vloerbedekking en er hangen gordijnen, maar er zijn geen lampenkappen. Er is een bank maar er zijn geen kussens. Er is een ketel en een magnetron, maar geen wasmachine. Er is een televisie en een telefoonaansluiting, maar geen telefoon.

Het doet hem denken aan zijn eerste studentenflat, zij het dat hij daar niet alleen woonde.

Hij denkt aan wat hij allemaal nog zal moeten doen. Hij zal borden en kopjes en bestek moeten kopen, hoewel hij zich eerst ook zou kunnen redden met papieren bordjes en plastic bestek, wegwerpspullen. Hij moet kussens en beddengoed hebben, lampenkappen, peertjes. Misschien, bedenkt hij, zou hij ook wijnglazen en koffietafelboeken moeten aanschaffen. Hij moet een telefoon regelen, en hij zal zijn naam op stukjes papier moeten schrijven voor bij zijn bel en op zijn brievenbus.

Om twaalf uur is het snikheet. Strakblauwe lucht, geen wolkje te bekennen. Futh smeert zonnebrand-crème op zijn huid, die al aan het vervellen is – op zijn gezicht en hoger, tot in het uitgedunde haar achter zijn wijkende haarlijn. Zijn vader, die inmiddels tegen de tachtig loopt, heeft nog een tamelijk volle kop met haar. Futh vraagt zich af of hij op zijn opa lijkt, de man die nooit meer thuis was geweest. Ernst vond van wel. Futh herinnert zich zijn opa slechts als een kalende man die niet lang meer te leven had.

Aan het begin van de middag ziet Futh opeens dat zijn voeten verbrand zijn. De huid tussen de riempjes van zijn sandalen gloeit en is helemaal roze, terwijl hij onder de riempjes nog blauwig wit is, net als de perfecte ring van bleke huid aan een ringvinger als de trouwring voor het eerst sinds jaren wordt afgedaan.

Op hetzelfde moment realiseert hij zich dat hij verdwaald is.

Hij staat in een veld met zijn opengevouwen kaart voor zijn buik en speurt om zich heen naar dingen die hij hier zou moeten zien maar die nergens te bekennen zijn. Hij heeft geen enkel besef van richting. Maar hij heeft nog dat kompas, dat hij nu uit een zijvakje van zijn rugzak opdiept. Daar wordt hij echter niet veel wijzer van, tot hij eindelijk doorheeft dat het ding kapot is. Hij kijkt naar de zon. Die staat hoog aan de hemel, daar schiet hij ook weinig mee op. Hij draait zich om en staart naar het pad van platgetreden gras dat hem hier gebracht heeft. Hij overweegt op zijn schreden terug te keren en vraagt zich af waar hij allemaal de fout in gegaan kan zijn, waar hij een aftakking gemist kan hebben omdat hij met zijn gedachten elders was.

Hij besluit stug door te lopen tot hij iemand tegenkomt die hem kan vertellen waar hij is en welke kant hij op moet. Meer dan een uur ziet hij geen mens en is er ook nergens iets van schaduw te bekennen, maar dan, halverwege de middag, komt hij bij een klein dorpje aan.

Futh ziet een man bij een huis staan roken. Hij gaat op hem af, laat hem zijn kaart zien en vraagt in het Duits waar hij zich hier bevindt. De man neemt de kaart van hem over en bestudeert hem met de brandende sigaret tussen zijn lippen. Er valt wat as in de vouwen van de kaart. Achter de man gaat een keukenraam open. Binnen is een vrouw bezig. Een bakgeur drijft naar buiten en vermengt zich met de sigarettenrook.

Als de man het dorpje op de kaart aanwijst ziet Futh hoever hij is afgedwaald. Hij loopt waarschijnlijk al uren de verkeerde kant op. Het eindpunt is nog even ver als toen hij na het ontbijt uit het hotel vertrok, misschien nog wel verder – al heeft hij de hele morgen en de halve middag gelopen.

De man vraagt waar hij vandaan komt en waar hij heen moet. Futh vertelt het hem, waarop de man zegt: 'Nee, dan moet u de andere kant op.'

De vrouw in de keuken is niet meer te zien en de man reikt Futh zijn kaart weer aan. De sigaret tussen zijn vingers is tot op het filter opgebrand. Futh pakt de kaart aan, vouwt hem op, bedankt de man en loopt langzaam weg. De geur van sigarettenrook en de baklucht vervagen tot er niets meer van over is, behalve de as aan zijn vingers en het water in zijn mond.

Zijn moeder rookte maar heel af en toe, meestal als ze iets bijzonders, iets moeilijks had afgerond. Zijn vader hield er niet van, dus rookte ze die keren in het geniep. Futh kon zich uit zijn kinderjaren maar een paar keer herinneren dat ze inderdaad een sigaret had opgestoken – toen ze voor haar rijbewijs geslaagd was, toen ze haar graad aan de Open Universiteit had behaald, toen ze hun oude huis van boven tot beneden geschilderd had voor het te koop werd gezet. De enige keer dat hij haar openlijk zag roken was op dat klif in Cornwall, vlak voor ze wegging. Toen lag ze afwisselend languit te zonnen en op een elleboog geleund een sigaretje te roken.

Zijn vader, die niet ver bij haar vandaan op een picknickkleed zat, moest het gezien hebben maar had er niks van gezegd. Hij zat met zijn gezicht naar de fonkelende zee en stak een monoloog af over de vuurtoren die voor hen verrees.

Hij praatte over de technologie van de vuurtoren – zonlicht en lamplicht en het gebruik van spiegels. En hij praatte over vuurtorenwachters, met woorden als 'verzorgen' en 'onderhouden', zodat de vuurtoren, waarin de vuurtorenwachter eindeloos bezig was de vele lenzen en ramen schoon te wrijven, voor het gevoel van Futh een oase van rust was, een veilige haven, alsof de lichten de schepen verwelkomden, alsof het lichten waren waar je alleen maar op af hoefde te varen om thuis te komen. 'Uiteraard,' zei zijn vader, 'is het tegenwoordig allemaal geautomatiseerd', en aan de toon waarop hij dat zei kon je horen dat hij een geautomatiseerde vuurtoren een teleurstellend surrogaat vond voor een vuurtoren met een echte vuurtorenwachter.

Hij praatte over schepen die waren vergaan en geplunderd, sommige nog niet eens zo lang geleden, misschien gebeurde het in de huidige tijd zelfs nog wel, de telkens weerkerende waarschuwing die de vuurtoren uitzond ten spijt.

Het was verzengend heet. Er stond eerst nog een briesje, maar toen dat was gaan liggen, was de hitte onvoorstelbaar. Futh had een lange broek en wandelschoenen met dikke sokken aan en verging zo ongeveer van de hitte. De schoenen en sokken en het topje van zijn moeder lagen op een hoopje. Zijn moeder lag op het droge gras met de zon op haar blote huid. Een tube sunblock en een pakje sigaretten en een aansteker lagen tussen haar voeten. Ze had haar ogen dicht, dus het was moeilijk te zeggen of ze sliep of stilletjes de preek aanhoorde. Maar toen sloeg ze haar ogen op en ging ze zitten om haar sigaretten te pakken. Ze keek naar haar man en maakte een geërgerd geluidje, dat hem echter ontging.

'Elke vuurtoren,' zei hij, 'heeft zijn eigen, kenmerkende lichtsignaal.' Futh vroeg zich af of verwacht werd dat je die allemaal uit je hoofd kende of dat er een boek was waar ze allemaal in stonden. Je moest wel weten waar je aan begon, dacht hij, als je ging varen.

Zijn moeder rolde met haar ogen, pakte haar aansteker en keek van opzij naar de vader van Futh terwijl ze het vlammetje van de aansteker bij haar sigaret hield. De geur van rook verdrong de geur van haar zonnebrandcrème. Zijn vader verstijfde, zweeg even en praatte toen weer door.

'Als het mist,' zei hij, 'gebruiken ze de misthoorn.'

Futh besloot een eindje te gaan lopen. Hij ging staan en slenterde weg. Hij voelde dat zijn moeder hem nakeek, maar toen hij een blik over zijn schouder wierp keek ze niet naar hem. Hij liep verder, net zo lang tot hij de eentonige stem van zijn vader niet meer kon horen. Hij had de parfumhouder die hij uit het tasje van zijn moeder had gehaald bij zich, de zilveren vuurtoren die zijn opa aan zijn vader had gegeven. Zijn moeder noemde het 'het parfum van oom Ernst', alsof ze het alleen maar voor hem in bewaring had, terwijl ze het heel vaak gewoon gebruikte. Futh haalde het flesje uit de houder. Hij wilde de geur van zijn moeder opsnuiven, maar haalde de stop er niet af.

Futh zat vaak in de kast van zijn moeder, die onderin helemaal vol stond met schoenen die nooit gedragen leken te zijn. In een hoek van de kast had hij een holletje gemaakt. Dan deed hij de deuren dicht en zat daar met de zomen van haar wollen jurken die langs zijn gezicht streken. Dat, het donkere inwendige van haar kast, de geur van leer en geheime sigarettenrook en kamfer van de mottenballen die ze in de zomer gebruikte, is wat hij graag zou hebben gebotteld en wat hij dan 'Essence of Mother' zou hebben genoemd – maar in plaats daarvan heeft hij viooltjes en sinaasappels.

Hij zat ook een keer in de kast toen hij zijn ouders de slaapkamer hoorde binnenkomen. Hij hoorde hun geruzie door de kastdeuren heen. Futh zat heel stil, veilig in het donker dat naar zijn moeder rook, weggedoken onder haar wollen jurken. Na een poosje hoorde hij niets meer in de slaapkamer. Hij duwde een deur van de kast open, heel langzaam, op een kier. Hij zag zijn moeder bij het voeteneind van het bed staan. Ze keek in haar koffer, die opengeslagen op de sprei lag. Ze bleef een hele tijd zo staan voordat ze hem dichtritste. Toen ze hem op de vloer liet zakken en onder het bed schoof, kon hij wel zien dat de koffer zwaar was. Hij zag haar de kamer uit lopen en hoorde haar de trap af gaan. Pas toen kroop hij uit de kast en trok hij haar koffer onder het bed vandaan. Hij was felgekleurd, op het opzichtige af, en Futh had meteen de pest aan dat ding. Hij zat vol kleren en schoenen en toiletartikelen, alles wat ze nodig zou kunnen hebben

als ze wegging. Aan de vouwen in de kleren die eigenlijk in de kast hadden moeten hangen kon hij wel zien
dat ze hem niet net gepakt had. Dit was een koffer die
altijd klaarlag, alsof ze er rekening mee hield dat ze
misschien ooit halsoverkop van huis zou moeten weglopen.

Daarboven op dat klif kon je geen kant op. Het
landschap was overal hetzelfde. Nergens schaduw,
nergens beschutting. Hij slenterde langzaam terug
door het gras, met de zilveren vuurtoren in zijn ene en
het flesje met de stop in de andere hand. Zijn vader
zat nog naar de vuurtoren te kijken, en naar de rots-
massa waar die op stond. Hij was stilgevallen. Zijn
moeder had haar sigaret op en lag weer languit op
haar rug. Ze oogde ontspannen. Haar gezicht was
naar de zon gekeerd.

En toen haalde zijn vader diep adem en begon
opnieuw. 'De misthoorn,' zei hij, 'loeit om de dertig
seconden.'

'Weet je wel,' hoorde Futh zijn moeder zeggen, 'dat
je me stierlijk verveelt?'

Na een ogenblik waarin niets gezegd werd en niemand zich verroerde, stond zijn vader op en begon de
boel op te ruimen. Hij deed het deksel op de koelbox,
goot wat koude koffieresten in het gras waarna hij de
thermoskan dichtdraaide en de bekers opstapelde, hij
gooide de lege Pomagne-fles en de resten brood en de
pasteikorsten en kruimels over de rand van het klif,
waar ze op richels en rotsen en in zee vielen en waar
vanuit het niets meeuwen opdoken die een afgrijselijk
kabaal maakten. Hij pakte het picknickkleed, klopte
het uit en vouwde het op.

Zijn vrouw lag nog altijd met haar ogen dicht te zonnen. Hij liep langzaam naar haar toe tot hij boven haar uittorende. Zijn schaduw raakte haar niet en ze deed haar ogen niet open. Futh keek naar de rondcirkelende meeuwen die telkens een duikvlucht maakten en op de etensresten aanvielen en onafgebroken bleven krijsen. Toen hij weer keek, stond zijn moeder op. Ze had zich van hem afgewend en hield een hand tegen haar wang. Ze zei: 'Ik ga naar huis.'

Ze pakte de koelbox en Futh zag de rode plek op haar wang, alsof ze verbrand was. De vader van Futh pakte de tas en het kleed en liep met haar naar het pad. Futh sloeg zijn ogen neer en zag de diepe snee in zijn handpalm. Het flesje was kapot, het parfum prikte in zijn wond en drupte in het gras en op zijn wandelschoenen.

Op de terugweg naar de camping liep hij een eindje achter zijn ouders aan. Hij hoorde ze praten, hoewel hij het meeste niet kon verstaan. Wel hoorde hij zijn vader op een gegeven moment zeggen: 'En hij dan?' Zijn moeder haalde haar schouders op.

Voor de middag ten einde liep zaten ze in de trein. Zijn moeder wilde iets. Ze zocht in de rugzak en vond een paar sinaasappels. Ze bood Futh er een aan, die hem aannam. Hij hoefde hem eigenlijk niet, maar hij wilde hem ook niet afslaan. Hij at hem langzaam op en zat nog steeds zijn sinaasappel te eten toen zijn moeder, die haar schillen had weggegooid en haar handen had schoongemaakt, haar hoofd tegen het raam leunde en haar ogen dichtdeed.

Die nacht, weer in zijn eigen bed, hoorde Futh zijn

moeder in de douche. Toen ze bij hem kwam en in haar badjas bij zijn bed stond, haar gezicht boven hem hangend als de maan aan de hemel, rook ze niet meer naar viooltjes of zonnebrandcrème of de sinaasappels die ze op de terugweg gegeten hadden. Ze rook naar de sigaretten die ze rookte als ze iets had afgerond.

Als Angela ruikend naar sigarettenrook naast hem kwam liggen, was het zijn moeder aan wie hij dacht, hoewel hij inmiddels doorhad dat hij dat beter niet tegen haar kon zeggen. Angela, veronderstelde hij, zou wel aan Kenny denken, naar wiens sigaretten ze rook en smaakte.

Hij neemt dezelfde weg terug tot hij bij het pad aankomt dat hem bij zijn laatste halte voor Hellhaus moet brengen. Er staat geen wegwijzer, er is alleen een gat in een heg, een smalle opening waardoor je van het ene paadje op het andere kunt komen. Het verbaast hem niks dat hij het de eerste keer gemist heeft, hij is er niet eens zeker van dat hij nu de goeie kant op gaat. Hij voelt zo langzamerhand weinig anders meer dan het schuren van zijn sandalen over de verbrande plekken en zijn nieuwe blaren.

Als hij eindelijk bij het hotel aankomt is hij uitgeput. Hij laat het bad vollopen, haalt een paar miniflesjes uit de koelkast op zijn kamer en gaat naar het balkon. Hij heeft uitzicht op de rivier. Het water is bijna zo dichtbij dat hij er vanaf zijn balkon in zou kunnen duiken.

Hij vergaat van de honger. Hij heeft sinds het ontbijt niks meer gegeten. Hij bekijkt het menu van het restaurant beneden en ziet dat hij net te laat is. De keuken is gesloten. Hij zal zich na het bad tevreden moeten stellen met iets te snacken aan de bar.

Hij kleedt zich uit, kiest nog een ander flesje uit de minibar, gaat naar de badkamer en klimt in het bad. Het water is pijnlijk heet. Met een kreun leunt hij achterover en doet hij zijn ogen dicht.

Hij heeft het gevoel dat hij iets mist en probeert te bedenken wat het zou kunnen zijn. Hij mist het zondagse braadstuk van zijn vader. Hij mist zijn wandelende takken, de geur van zijn terrarium. Angela houdt de wandelende takken omdat Futh in de flat geen huisdieren mag houden. Angela heeft er nooit iets aan gevonden. Ze zegt dat wandelende takken houden iets voor kleine jongens is. Ze vindt ze griezelig en Futh is bang dat ze er niet goed voor zal zorgen, dat ze zal vergeten ze eten te geven.

Hij wordt een beetje verkleumd wakker. Even weet hij niet waar hij is. En zelfs als het hem te binnen schiet kijkt hij nog vreemd op, omdat hij in een lege badkuip ligt – het water is zeker allemaal weggesijpeld doordat de stop niet helemaal goed aansloot. Hij heeft geen idee hoe laat het is – zijn horloge ligt bij het bed en er is geen raam in de badkamer, zodat hij niet aan de lucht kan zien hoe laat het bij benadering moet zijn.

Zijn benen zijn helemaal stijf en hij heeft nog nooit zo'n honger gehad – zijn maag rammelt. Als Futh een maaltijd oversloeg zei zijn tante Frieda altijd: 'Je maag zal nog denken dat je keel is afgesneden.'

Hij kan nauwelijks uit het bad komen, maar slaagt daar uiteindelijk toch in. Als hij de kamer binnenstrompelt ziet hij door de wijd openstaande balkondeuren de nachtelijke hemel, de maan. Hij gaat even naar buiten, klampt zich vast aan de balustrade en kijkt naar het snelstromende water van de rivier. Zijn maag maakt een beetje slagzij van de drankjes die hij gedronken heeft en hij voelt zich alsof hij aan het dek van een veerboot staat. Hij heeft het idee dat hij er geen enkele moeite mee zou hebben als hij nooit meer een overtocht met een veerboot hoefde te maken.

Hij durft het niet aan om nu nog naar beneden te bellen of ze hem iets te eten kunnen brengen. Hij is te moe om erop te wachten, te moe om te eten. Het was hem trouwens sowieso niet om een snack begonnen. Hij doet de balkondeuren en de gordijnen dicht. Als hij onder de dekens is gekropen kijkt hij op zijn horloge en realiseert hij zich dat het al vrijdag is. Nog vierentwintig uur en dan zit zijn vakantie erop.

Hoofdstuk 14 – Venusvliegenvallen

Ester wordt wakker en ruikt kamfer. Zonder haar ogen open te doen schuift ze dichter naar Bernards kant van het bed, legt haar hoofd op de rand van zijn kussen en snuift zijn geur op.

Bernard komt pas morgen weer thuis. Soms belt hij Ester op het laatste moment met de mededeling dat zijn moeder hem nog nodig heeft, dat hij langer blijft.

Hij gaat één keer per maand bij zijn moeder op bezoek. Toen Ester en Bernard pas getrouwd waren, ging Ester altijd mee, hoewel die bezoekjes haar veel stress bezorgden. Ze was blij dat ze weer bij Ida thuis werd uitgenodigd, maar ze kon niet aan haar schoonmoeder denken zonder het schrapen van die haarspelden over haar schedel te voelen. Ze nam altijd een klein flesje gin mee in haar handtas en dronk daaruit als ze onderweg tankten en elke keer dat ze naar het toilet ging.

De allereerste keer dat ze als getrouwd stel langskwamen, begroette Ida hen opgewekt. Ze was complimenteus over de bloemen die Ester voor haar had meegenomen en zette ze in haar mooiste vaas op de tafel in de woonkamer. Ze ging koffiezetten maar sloeg het aanbod van Ester om even te helpen af. 'Blijf jij maar zitten,' zei ze. 's Morgens bracht Ida hun ontbijt op bed. Ze gaf Ester een tijdschrift en ging zelf de lunch klaarmaken. Ester mocht niet eens afwassen.

Conrad woonde nog thuis en Ester hoopte altijd dat hij er ook zou zijn. Maar elke keer dat ze erheen gingen schitterde hij door afwezigheid. Eén keer, in de auto op weg naar Ida, vroeg ze aan Bernard of hij dacht dat zijn broer ook thuis zou zijn. Hij reageerde eerst niet en een groot deel van de reis ging in stilte voorbij, terwijl haar onbeantwoorde vraag als een wolk koude lucht in de oververhitte auto bleef hangen. Ze begon zich af te vragen of ze de vraag wel hardop gesteld had. Toen ze bijna bij het huis van zijn moeder waren, zei hij: 'Wat maakt dat jou uit of hij er is of niet? Je bent nu met mij. Of ben je weer van gedachten veranderd?'

'Natuurlijk niet,' zei ze. Maar de waarheid was dat ze zich soms wel afvroeg of ze zich niet vergist had. Hoe dan ook, ze zag Conrad niet bij Ida, ze vroeg Bernard niet meer naar hem en Bernard zei ook nooit iets over hem.

Bij de koffie vroeg Ida: 'En, wanneer kan ik mijn eerste kleinkind verwachten?'

Ester, die niet speciaal kinderen wilde en meende dat ze dat zelfs weleens tegen Ida gezegd had, zei: 'Nou, misschien nemen we wel geen kinderen.'

'Maar Bernard wil graag kinderen,' zei Ida. Ze richtte zich tot hem. 'Je raadt nooit wie ik deze week zag – Andrea, en ze heeft een zoontje, echt een heel mooi jongetje.'

En later zei Ida: 'Bernard, ik zag Susanne laatst in de supermarkt. Ze vroeg nog naar je.' Als Ida over die andere meisjes begon, vroeg Ester zich af of een van hen misschien degene was over wie Ida haar op hun trouwdag in de damestoiletten verteld had, het meisje van wie Bernard gehouden had.

Die avond lag ze met Bernard op de slaapbank in de woonkamer, met haar hoofd op zijn rijzende en dalende borstkas, en zei ze: 'Op onze trouwdag zei je moeder tegen mij dat er maar één meisje was van wie je ooit gehouden had.'

'Nou,' zei hij, 'waarschijnlijk is dat ook zo.'

Ester tilde haar hoofd op en keek naar hem.

'Tot ik jou tegenkwam natuurlijk,' voegde hij eraan toe.

'Ze zei dat je alleen met mij was om je op Conrad te wreken omdat die haar van jou had afgepakt.'

'Nou, misschien was dat in het begin deels ook wel zo.'

Ester bleef een hele tijd liggen zonder iets te zeggen. Toen ze eindelijk vroeg: 'Wie was dat meisje?' was Bernard in slaap gevallen, of deed alsof. Toen Ester er de volgende morgen weer over begon, reageerde Bernard geërgerd en wilde hij het er niet over hebben.

Aan het ontbijt zei Ida: 'Bernard, Thérèse heeft nu drie kinderen, het meisje en een tweeling, twee jongetjes', en Ester bestudeerde zijn gezicht.

Ida zei tegen Ester: 'Je behoudt je figuur toch niet, als dat het is waar jij je druk om maakt.'

Bij haar laatste bezoek met Bernard had Ida ook een meisje uitgenodigd om te komen eten. Het meisje kwam de keuken uit met twee borden lever, zette er een voor Ester neer en gaf het andere aan Bernard. Ida kwam achter haar aan met de rest van het eten en zei: 'Dit is Liese. Ze is kinderverzorgster, ze is gek op kinderen. Ze is twintig, nog jong. Hoewel ik op mijn twintigste al zwanger was van Bernard.'

Ester en Bernard hadden op de terugreis naar Hellhaus altijd ruzie.

Uiteindelijk stelde Ester aan Bernard voor om maar alleen naar zijn moeder te gaan. De eerste paar keer verzon ze nog een of ander excuus, maar daarna gaf ze geen reden meer en hij vroeg er ook niet naar.

Met of zonder Ester, Bernard komt altijd thuis met een slecht humeur en een tas vol gestreken onderbroeken en sokkenbolletjes. Ester stelt zich voor dat Ida wel tegen Bernard zal zeggen dat het zo jammer is dat Ester geen tijd heeft om mee te komen. Hadden ze niet voor een paar dagen een goedkope hulp kunnen inhuren om te doen waar Ester voor thuis moest blijven?

Ester doet eindelijk haar ogen open en kijkt op haar horloge. Ze staat op en maakt zich een beetje op, trekt dezelfde schoonmaakkleren aan die ze gisteren ook aanhad en gaat naar de badkamer. Ze doet wat water in de schoteltjes op het plankje boven de wastafel waar ze haar venusvliegenvallen op heeft staan. Ze had er eentje meegenomen van huis – een van de planten van haar moeder – en ze gestekt tot ze er zes had. Ze geeft ze water en voert ze de dode insecten die ze in de vensterbanken vindt, en kietelt de blaadjes altijd tot ze dichtgaan. Ze geeft ze ook vliegen die ze zelf heeft doodgeslagen. Soms zijn ze nog niet eens dood en zoemen ze furieus tussen de dichtgeklapte blaadjes, tot het na een poosje stil wordt. Ze zet haar plantjes in de zon en praat ertegen, maar toch gaan ze soms nog dood.

Ester doet een raam open, rookt een sigaret en babbelt tegen haar plantjes. De as van haar sigaret valt op de afwachtende blaadjes. De zon is krachtig, zelfs op dit tijdstip. Het wordt een warme dag.

Nadat ze alleen heeft ontbeten en de sleutel in ontvangst heeft genomen van het stel dat op huwelijksreis was en dat de hele week geweest is maar zich nauwelijks vertoond heeft behalve om te eten, maakt ze hun kamer beneden schoon. Als ze daarmee klaar is, zet ze haar schoonmaakkarretje in de lift en gaat weer naar de bar.

Ze zit op haar kruk en kijkt om zich heen. Er zitten een paar mensen in de bar. Een is een vreemde, de andere kent ze. Zonder haar rubber handschoenen uit te doen, drinkt ze haar eerste gin van de dag zonder tonic. Ze heeft het warm, ze gloeit en voelt zich klam. Bij haar volgende gin doet ze wat tonic en ze houdt het ijskoude glas tegen haar voorhoofd en tegen haar borstbeen. Druppels condenswater glijden in de gleuf tussen haar borsten.

De deur achter haar, de deur naar de kamers, zwaait open. Ze kijkt om en ziet de jongen die ze kamer tien had gegeven binnenkomen. Hij heeft zijn rugzak op zijn rug en zijn arm om het nieuwe meisje.

Ester loopt naar haar bureau, neemt zijn sleutel in ontvangst, vinkt hem af in haar map en hangt zijn sleutel weer op. Het meisje blijft op een afstandje op hem staan wachten. Het lijkt erop of hij moeite doet om Ester niet aan te kijken, hij kijkt de hele tijd naar de verpieterde restanten van het ontbijtbuffet, naar het zwetende vlees en de uitgedroogde eieren. Dan gaat hij met het nieuwe meisje naar buiten, waar hij zijn arm om haar schouders slaat. Ester kijkt ze na.

Ze drinkt haar glas leeg en trekt haar rubber handschoenen uit.

'Nog een keer hetzelfde?' vraagt het vraagteken, dat langs de bar naar haar toe schuift. Zijn adem ruikt naar sterke koffie. Ze kijkt naar hem, dan naar de klok en knikt. Ze gaat hem voor naar de lift en ze gaan naar boven met het schoonmaakkarretje.

Ze neemt hem niet mee naar haar kamer, ze wil niet dat hij aan Bernards kant van het bed gaat liggen, dat hij naakt ligt waar Bernard altijd slaapt, met zijn hoofd op het naar kamfer geurende kussen. In kamer tien gaat het vraagteken op het bed liggen, op de nauwelijks afgekoelde lakens. Hij maakt zijn riem los en duwt zijn broek met zijn voeten tot op zijn enkels. Hij trekt één voet uit de broekspijp, maar de andere zit vast. Met die ene pijp hangt zijn broek aan zijn lichtroze scheenbeen. Ester moet onwillekeurig aan een worst met een afgestroopt vel denken. Hij houdt zijn t-shirt en zijn sokken aan.

Aan de andere kant van het bed in de lichte kamer kleedt Ester zich langzaam uit, terwijl hij naar haar kijkt. Als al haar kledingstukken om haar heen liggen als de afgevallen blaadjes van een halfdode roos, stapt ze ook in bed.

Tegen de tijd dat Ester weer beneden is, staat het meisje achter de bar. Ester gaat op haar kruk zitten en het meisje zegt: 'Bernard zoekt je.'

'Bernard komt morgen pas weer terug,' zegt Ester.

'Nee, hoor,' zegt het meisje, 'hij is er weer.'

Ester komt voorzichtig weer van haar kruk af. 'Waar is hij dan?' vraagt ze.

'Boven,' zegt het meisje, 'denk ik.' Ze draait zich om naar een klant die aan de bar staat en neemt zijn geld in ontvangst.

Ester loopt naar de lift. Haar schoonmaakkarretje staat er nog in. Ze gaat eerst naar hun privéappartement en ziet de tas van Bernard op het bed staan. Ze kijkt in de badkamer, het keukentje en hun kleine zitkamer, maar daar is Bernard niet.

Ze gaat naar beneden en pakt haar rubber handschoenen van de bar. Ze loopt naar de keuken, waar de kok bezig is goedkope steaks plat te slaan om ze mals te maken, appels te pureren, walnoten te pletten met een deegrol – in een theedoek, zodat de doppen niet overal heen vliegen en de sappen geen vlekken maken op het werkblad.

Ester neemt weer de lift naar boven met haar schoonmaakkarretje en haar rubber handschoenen. Ze pakt schoon beddengoed en gaat terug naar kamer tien, zachtjes voor zich uit vloekend. Als ze de deur opendoet ziet ze Bernard, die al wegloopt bij wat hij nog heel heeft gelaten van de man die zich niet op tijd uit de voeten had gemaakt. Als hij langs haar heen loopt in de deuropening, blijft hij even staan. Ze voelt zijn hitte door zijn shirt heen en zijn adem op haar wang als hij zich naar haar toe buigt en zegt: 'Laat dit niet weer gebeuren.'

Hoofdstuk 15 – Koffie

Futh wordt bij het krieken van de dag wakker en kan niet meer slapen. Hij heeft zo'n honger dat het gewoon pijn doet, maar weet dat het hotel nu nog geen ontbijt serveert. Hij staat op, loopt naar de tafel met de waterkoker en eet de koekjes op. Dan maakt hij een kopje instantkoffie – koffie waarvan het vluchtige aroma verloren is gegaan, waarna het in de fabriek is vervangen: koffie waar ze de geur van koffie aan hebben toegevoegd. Met het kopje in zijn hand en nog in zijn pyjama gaat hij naar het balkon. Hij ziet de zon opkomen, ziet de eerste stralen weerspiegeld in het water.

Hij is vreselijk stijf en zijn voeten doen zeer. Hij overweegt serieus om de laatste wandeldag maar helemaal over te slaan en in plaats daarvan toch naar Utrecht te gaan. Dat zou betekenen dat hij onaangekondigd aankomt, maar, bedenkt hij, hij is wel uitgenodigd. Het zou niet zo moeilijk moeten zijn om de weg naar het huis van Carls moeder weer terug te vinden, zelfs zonder het adres, maar dan moet hij wel eerst zijn auto ophalen, die in Hellhaus staat. Hij vraagt zich af of hij een bus naar Hellhaus zou kunnen nemen en vandaar naar Utrecht rijden. Hij zou zijn koffer mee kunnen nemen in de bus, in plaats van hem te laten vervoeren en te riskeren dat hij in Hellhaus op zijn koffer moet wachten. Als hij dat deed, zou hij niet eens meer naar het hotel hoeven. Dan zou hij later bij Carls moeder vandaan kunnen bellen en uitleggen dat hij zijn plannen had gewijzigd. Als hij hier meteen na het ontbijt wegging, zou hij tegen lunchtijd in Utrecht kunnen zijn. Carl, herinnert hij zich, zou vanavond weer thuiskomen.

Hij drinkt nog een kopje koffie op het balkon, kleedt zich dan aan en gaat naar beneden, in de hoop de hotelier aan te treffen, zodat hij hem naar de bustijden kan vragen. Maar er is niemand. Hij vindt wel allerlei brochures van toeristische attracties in de omgeving en een telefoonboek waarin hij zijn eigen naam opzoekt en inderdaad verschillende Fuths ziet staan, maar een dienstregeling voor de bus is nergens te vinden. De voordeur is echter open en hij gaat naar buiten om een bushalte te zoeken.

Hij loopt langzaam en moet verder zoeken dan hij eigenlijk van plan was, maar dan vindt hij eindelijk de halte die de juiste lijkt te zijn, bijna twee kilometer van het centrum, bij de rivier. Hij ontcijfert de dienstregeling en ontdekt dat er dagelijks drie bussen rechtstreeks naar Hellhaus gaan – 's morgens, begin van de middag en 's avonds. Hij kan gewoon in het hotel ontbijten en dan is hij nog op tijd om de eerste bus te halen.

Tevreden gaat hij terug naar zijn hotelkamer en maakt nog een kopje koffie om de tijd tot het ontbijt door te komen. Hij pakt zijn koffer in, ritst hem dicht en zet hem bij de deur. Die kan hij na het ontbijt zo meenemen. Hij heeft nog wat tijd over en maakt het bed op, ook al weet hij dat ze het weer zullen afhalen als hij weg is. Hij kijkt nog een keer de kamer rond, ziet zijn horloge op het nachtkastje liggen en doet het om. Hij is klaar voor vertrek.

Hij gaat naar beneden en neemt zijn rugzak mee. Als hij zich bedient van het ontbijtbuffet stopt hij meteen een en ander voor onderweg in de zijvakjes van zijn rugzak.

Hij gaat zitten. Hij trilt een beetje, misschien omdat hij zoveel cafeïne heeft gedronken op een lege maag, maar als de serveerster aanbiedt hem een pot koffie te brengen, kan hij geen nee zeggen. Het is goede, sterke, verse koffie. De geur doet hem denken aan de koffiemolen van zijn moeder en aan de koffiebonen die je er vanboven in deed en die gemalen werden als je aan de hendel draaide.

Ze gebruikte altijd mooie porseleinen kopjes waar ze hete melk uit een steelpannetje inschonk. Ze dronk haar koffie altijd staand en keek dan uit het raam. Soms vloog er een vliegtuig over en dan volgde ze dat met haar blik door de verder lege lucht, ze keek het zelfs nog na als het al te klein was om nog te zien en er alleen langzaam oplossende condensstrepen over waren – dan ging ze helemaal op in haar eigen wereldje, alsof ze al weg was, en werd haar koffiekopje koud in haar hand.

Zo was het ook toen hij op de ochtend na hun terugkeer uit Cornwall naar beneden kwam. De keuken geurde naar koffie en zij stond voor het raam. Ze had een roze zomerjurk aan, die hij, toen hij er enige tijd naar gekeken had, herkende van de foto's van de huwelijksreis van zijn ouders – het was haar reisjurk. Bij de achterdeur zag hij de bontgekleurde koffer staan die altijd onder hun bed lag. Zijn vader was nog boven. Het ging allemaal heel snel – ze kuste hem, pakte haar koffer en ging de deur uit. Het ging allemaal zo snel dat toen hij in de plotseling lege keuken haar kopje pakte, het kopje nog warm bleek te zijn.

Als hij de eetzaal verlaat, beeft hij zo dat hij erbij moet gaan zitten. Weer de trap opklimmen naar zijn kamer is geen optie. In plaats daarvan gaat hij naar de lounge. In de hoek staat een televisie met het nieuws aan maar het geluid uit, en er staan twee banken, waar niemand op zit. Hij gaat op een van de banken liggen, doet zijn ogen dicht en zakt ondanks alle cafeïne weg in een weinig verkwikkende slaap.

Met een onrustig gevoel wordt hij wakker. Hij kijkt op zijn horloge en ziet tot zijn teleurstelling dat hij de eerste bus naar Hellhaus gemist heeft. Hij zal de tweede moeten nemen, na de lunch. Dan is hij pas eind van de middag in Utrecht, maar dat is nog altijd mooi op tijd voor het avondeten. Hij vermant zich en gaat naar boven, naar zijn kamer.

Als hij ziet dat zijn koffer er niet meer is, beseft hij dat die natuurlijk is opgehaald terwijl hij lag te slapen. Hij gaat naar beneden en vraagt het aan de hotelier en die verzekert hem dat zijn koffer inderdaad onderweg is naar Hellhaus. Nou ja, denkt Futh, als zijn koffer al onderweg is, is die er misschien wel eerder dan hij. Dan zal hij dus toch naar het hotel moeten om zijn koffer op te halen en zal hij meteen moeten uitleggen wat hij van plan is, maar dat maakt niet uit. Hij zou misschien niet eens de moeite hebben genomen als hij de zilveren vuurtoren niet in zijn koffer had gedaan.

Hij verlaat het hotel, maar het duurt nog wel een tijdje voor de middagbus vertrekt. Hij overweegt een krant te kopen en gaat een winkel binnen. Hij heeft de hele week geen krant ingezien en voelt zich enigszins vervreemd van de dagelijkse werkelijkheid. Hij ziet alleen Duitse kranten. Futh kijkt een paar kranten in om te zien of hij het geschreven Duits een beetje kan volgen – het gaat hem altijd nog beter af dan gesproken Duits – maar hij kan er weinig uit wijs worden en gaat weer naar buiten zonder een krant te kopen.

Hij loopt naar de rivier en gaat in zijn eentje onder een paar bomen zitten. Hij is dankbaar voor het koele briesje dat van de rivier komt aanwaaien. Met zijn ogen dicht registreert hij de geuren die om hem heen hangen, de geuren van de buitenlucht, zodat hij later in gedachten naar deze oase zal kunnen terugkeren.

Hij heeft zich vaak afgevraagd hoe het zou zijn om een verminderde reukzin te hebben. Hij vindt het fijn om wakker te worden bij de geur van verse koffie, maar tijdens haar zwangerschappen kon Angela de stank, zoals zij dat noemde, van de koffiemachine opeens niet verdragen – ze kon de korte tijd dat ze telkens zwanger was Futh niet eens verdragen zolang hij zich niet gewassen had. Hij denkt aan dingen die hij liever niet zou kunnen ruiken, zoals de alcoholmeur

van andere mensen, en aan de gevaren die op de loer
zouden liggen als hij bepaalde geuren niet herkende,
zoals gas of bedorven eten. Sommige mensen kunnen
geen cyaankali ruiken. Sommige mensen kunnen
domweg geen geuren herkennen, die ruiken iets en
interpreteren het als iets totaal anders. Een mens kan
zich een bepaalde geur ook indenken. Toen hij zelf
laatst griep had, merkte hij dat hij koffie rook die er
niet was.

Hij haalt het eten dat hij bij zich heeft gestoken uit
zijn rugzak en luncht ermee. Als hij een paar eenden
in de rivier ziet zwemmen, breekt hij een broodje in
stukken en gooit die naar ze toe, maar de eenden merken het niet en de stukjes brood worden door de
stroom meegevoerd.

Als hij opstaat en zijn rustige plekje tussen de bomen
weer verlaat, is er nog tijd genoeg voor de bus vertrekt. Zijn pijnlijke voeten doen het rustig aan, maar
nog altijd is hij op tijd bij de bushalte, waar hij op de
bus gaat zitten wachten. Die zal nu wel snel komen.

Tien minuten gaan voorbij en hij begint te vermoe-
den dat de bus vertraging heeft. Dan vraagt hij zich af
of hij misschien bij de verkeerde halte zit en loopt hij
naar de andere bushaltes in de straat om daar ook
naar de vertrektijden te kijken. Vervolgens bedenkt hij
dat hij misschien niet goed gekeken heeft, misschien
gaat de bus naar Hellhaus uitgerekend vandaag niet;
hij loopt weer terug naar de bushalte waar hij heeft
zitten wachten en bekijkt de dienstregeling, maar hij
kan nergens uit opmaken dat hij het op een of andere

manier verkeerd begrepen zou hebben. Bijna een uur later besluit hij dat de bus ofwel gewoon niet komt, of dat hij een fractie te laat was – misschien loopt zijn horloge iets achter – en dat de bus net geweest was voor hij bij de halte aankwam.

Er gaat die avond nog een derde en laatste bus. Kan hij dan vanuit Hellhaus nog in Utrecht komen? Zijn gastheer en gastvrouw zouden hem niet verwachten en tegen de tijd dat hij aankwam al lang gegeten hebben, maar het zou misschien nog niet te laat zijn om nog iets voor hem op te warmen. Even overweegt hij te gaan liften. Hij blijft een tijdje met opgestoken duim langs de stoeprand staan, maar niemand stopt. Een taxi heeft hij ook niet gezien en Futh heeft er eigenlijk ook geen zin in om het hele eind terug te lopen naar het centrum om er daar een te zoeken. Maar een taxi zou toch ook veel te duur zijn, met dat soort uitgaven heeft hij in zijn begroting voor deze vakantie helemaal geen rekening gehouden. De volgende bus komt over een paar uur en hij besluit gewoon te wachten.

Hij wacht in de onmiddellijke nabijheid van de halte en betreurt het nu dat hij geen krant heeft gekocht, en dat hij eerder dat boek uit zijn rugzak heeft gehaald en in zijn koffer gedaan. Hij vindt enige schaduw, hoewel die telkens opschuift, en waagt zich alleen in de volle zon als hij de behoefte voelt om bij de bushalte te gaan kijken of die laatste bus inderdaad wel gaat. Maar het klopt, en hij mist de avondbus niet. Hij gaat achterin zitten en kijkt tevreden naar de wereld die aan het raam voorbijglijdt.

Als hij uitstapt, blijkt het de verkeerde halte te zijn en moet hij toch nog een eindje lopen voor hij eindelijk in Hellhaus is. Hij ziet de achtergevel van het hotel opdoemen als de zon net ondergaat. De witgepleisterde muren gloeien en de ramen schitteren. Het is een duizelingwekkend schouwspel, het doet bijna pijn aan de ogen, maar hij kan zijn blik er niet van afwenden.

Voor hij naar het hotel gaat om naar zijn koffer te vragen, gaat hij eerst even bij zijn auto kijken. Hij treft hem aan waar hij hem heeft achtergelaten, maar hij heeft een lekke band. Hij laat zich op zijn knieën zakken en ziet glasscherven in de goot liggen. Misschien lag dat glas daar ook al toen hij hier aankwam en heeft hij zijn auto hier neergezet zonder het op te merken. In een praktische opwelling, en in de wetenschap dat hij een band kan verwisselen, doet hij de kofferbak open. Hij verwacht daar zijn reservewiel aan te treffen maar ziet tot zijn ontsteltenis dat daar een oud wiel met een lekke band ligt – hetzelfde wiel dat hij destijds langs de kant van de weg verwisseld heeft alvorens naar huis te rijden en Kenny zijn voordeur uit te zien komen.

Met een zucht geeft hij zijn plan om nog naar Utrecht te rijden op. Hij zal de volgende morgen eerst een nieuwe band moeten zien te regelen. Hij loopt naar het hotel om daar toch zoals gepland de nacht door te brengen, ondanks alles hunkerend naar een rustige bar met comfortabele stoelen en gekoelde drankjes, naar een eigen kamer en een eigen sleutel, zachte vloerbedekking en een bed met schone lakens, naar een warm bad en een waterkoker, een schaal met koude worstjes en verschillende verpakte koekjes, naar zijn koffer, zijn zilveren vuurtoren, zijn pyjama en de rest van zijn spullen.

Hoofdstuk 16 – Motten

Bernard ligt op zijn zij in het gras, houdt een korenbloem bij Esters wang en vergelijkt het blauw van de
bloemblaadjes met het blauw van haar ogen. 'Kom, ga
met me mee,' zegt hij, 'ergens anders heen.'

Ze wachtte niet meer dan een ogenblik alvorens
'Oké' te zeggen. Toen Bernard het korenbloempje
eerst bij het blauw van haar halsketting hield en toen
bij het blauw van haar knoopjes, ging ze achterover in
de blaadjes liggen die van de bomen waren gewaaid.

Ze stelde hem voor aan haar ouders. Toen hij weer
weg was vroeg haar moeder: 'Weet je het zeker,
Ester?' Haar vader zei: 'Je kunt nog van gedachten
veranderen.'

Maar Ester veranderde niet van gedachten. Ze ging
met Bernard mee naar Hellhaus. Hij deed de bar met
alles wat daarbij kwam kijken en zij deed het hotel,
nam de reserveringen aan, ontving de gasten en ver-
zorgde de huishoudelijke kant van de zaak. Ze hebben
iemand die elke morgen in alle vroegte komt en voor
het ontbijt de bar en de gangen beneden schoonmaakt, maar Ester doet zelf de kamers van de gasten.

Dat is trouwens nooit zo heel veel werk. Van hun

tien kamers zijn er nooit meer dan een paar geboekt. Soms staan kamers hele seizoenen leeg. Een keer heeft ze in een van de badkamers het licht laten branden en het raam open laten staan, waarna ze weken niet meer in die kamer kwam. Toen ze uiteindelijk weer een keer naar binnen ging, lag de lampenkap – een halve bol van wit glas – vol motten.

Als meisje was Ester een keer op excursie geweest naar het Natuurkundig Museum in Berlijn. Ze was zowel geschokt als gefascineerd door de enorme collecties vissen en ongewervelde dieren op sterk water, de opgezette zoogdieren en de opgeprikte motten en vlinders. Een paar dagen later zat ze tegen bedtijd met het licht nog aan op haar kamer een of ander romantisch fotoverhaal in een tijdschrift te lezen, toen door het open raam een mot naar binnen kwam, die om de lamp heen begon te fladderen. Die mot prikte ze op het kurkbord boven haar bureau. Het zou de eerste van haar verzameling worden, een mottenverzameling die op haar beurt weer de eerste zou zijn van een heel scala aan verzamelingen – hoewel wat zij een verzameling noemt door Bernard meestal rotzooi wordt genoemd.

Ook haar boekenplanken vindt hij vreselijk. 'Wie heeft er nou zoveel romannetjes nodig?'

'Ik,' zegt ze.

'Waar bewaar je al die lipsticks en parfumflesjes voor?' zegt hij, als hij haar laden opentrekt voor een van zijn controles. Ze heeft nooit geweten waar hij naar zoekt. Hij kiepert de envelop leeg die ze in de la bij haar bed bewaart, de broze resten van een uitgedroogde bloem vallen op de grond. 'Wat is dit voor troep?' zegt hij.

Niet lang na de dag dat ze met Bernard in het gras had gelegen, kwam Ester in Hellhaus aan en ging ze op zoek naar een dokter. Ze maakte een afspraak, die gevolgd werd door een andere afspraak in een kliniek. Terwijl ze daar in de wachtkamer zat dacht ze aan de verstilde schepsels die ze in dat museum gezien had, een gigantisch aantal, en ze dacht aan haar eigen kleine collectie nachtvlinders. Ze herinnerde zich nog hoe die eerste mot voelde, het kietelen van de poederige vleugels tegen haar beide handpalmen.

Een paar jaar later kreeg haar vader een hartaanval en kwam hij te overlijden. Toen Ester naar huis ging, zei haar moeder dat hij hartkloppingen had gehad. 'Waarschuwingen,' zei ze, 'die hij genegeerd heeft.' Ze zei ook dat hij al eerder een hartaanval had gehad die onopgemerkt was gebleven.

'Had hij niks gemerkt?' vroeg Ester. 'Hoe kan dat nou?'

'Soms merk je dat niet,' zei haar moeder. 'Maar de dokter zei het. Ze heeft de schade aan zijn hart gezien.'

Bij zijn begrafenis zei de moeder van Ester, met het kleine zoontje van een familielid op haar armen, voor het eerst tegen Ester: 'Waar is mijn kleinzoon?' Sindsdien had ze elke keer dat ze Ester zag dezelfde vraag in wisselende bewoordingen gesteld, tot voor kort – toen was ze opgehouden met praten over de kleinkinderen die ze niet had en was ze in plaats daarvan begonnen advies te geven over het behouden van je schoonheid op middelbare leeftijd.

Ester kan zich niet herinneren wanneer ze ermee is begonnen 's morgens te drinken of halverwege de dag een dutje te doen. Ze herinnert zich nog wel de eerste keer dat ze vreemdging, maar ze kan zich niet al haar slippertjes herinneren.

Na haar slaapje zit ze enige tijd aan haar kaptafel om zich op te maken. Ze beseft dat haar make-up de donkere kringen onder haar ogen niet kan verbergen en waarschijnlijk alleen maar de aandacht vestigt op haar kraaienpootjes en de lijntjes rond haar mond. Is ze te oud, vraagt ze zich af, om kinderen te krijgen?

Ze pakt het houten vuurtorentje dat ze op de dag na hun trouwen van Bernard heeft gekregen. Ze had Bernard speciaal om dat parfum gevraagd, Dralle's Illusion in een vuurtorenhoudertje, het was een collector's item, vroeger werd ermee geadverteerd als 'het duurste parfum dat in Amerika verkocht wordt'. Er waren twee versies van de houder – je had een zilveren vuurtoren en een goedkopere houten. Ze was bij het uitwisselen van de cadeautjes teleurgesteld toen ze zag dat zij de houten versie kreeg.

Ze brengt het viooltjesparfum aan, waaronder ze nog steeds naar het ontsmettingsmiddel ruikt waarmee ze de badkamers schoonmaakt. Ze doet de stop op het flesje en pakt de zilveren vuurtoren die nu naast de houten op haar kaptafel staat maar waar geen flesje in zit. Ze doet haar flesje in de zilveren vuurtoren en legt de lege houten houder weer in de la.

Ze hoopt dat Futh niet zal merken dat het ding niet meer in zijn koffer zit, maar als hij het wel merkt en er iets van zegt, zal ze hem beloven dat ze eens zal gaan praten met de mensen die zijn bagage vervoerd hebben. Hij is toch weer vertrokken voor zij een antwoord heeft – morgenochtend is hij er niet meer.

Ze trekt haar nieuwe jurk aan waar het nieuwe al een beetje af lijkt te zijn. Ze trekt haar hoge hakken aan en een paar opzichtige oorringen. Bernard ziet het wel, is haar idee, hoewel hij vandaag nauwelijks tegen haar praat.

Ze gaat naar de bar en gaat op haar kruk op de heer Futh zitten wachten, haar enige gast voor vandaag. Ze verwacht hem halverwege de middag. Ze heeft zijn koffer vanmorgen in ontvangst genomen en op het voeteneind van zijn bed gelegd.

Als ze van haar glas zit te nippen merkt ze dat Bernard haar kant op kijkt en herhaaldelijk blikken op haar benen werpt. Ze voelt zich gevleid en gaat op subtiele wijze zo verzitten dat haar benen goed uitkomen, naar hem toe en over elkaar. Na een poosje, haar kuiten beginnen net gevoelloos te worden en het bloed, stelt ze zich voor, zal zich wel ophopen in haar aderen, komt hij haar kant op lopen. Ze draait zich naar hem toe. Bernard, op weg naar achteren, blijft even bij haar kruk staan en oppert dat ze misschien beter een paar kousen kan aantrekken.

Haar moeder was ook een keer bij haar in Hellhaus op bezoek. Toen waren ze gaan wandelen. Ze liepen helemaal tot aan de pont en gingen toen naar het café bij het station voor koffie met gebak. Ester vertelde haar alle grappige verhalen die ze bedenken kon, en haar moeder zei: 'Kom naar huis.'

Als de zon bijna onder is en Futh er nog steeds niet is, schiet Ester te binnen dat hij het vorige weekend ook veel later kwam dan aangekondigd – hoewel ze zich hem niet eens echt kan herinneren, ze ziet hem niet meer voor zich.

Ze heeft een lekker kopje koffie voor zich staan en ernaast ligt een sinaasappel. Het nieuwe meisje staat achter de bar met te weinig omhanden. Bernard zit aan een tafeltje met een drankje en zijn krant en maakt de kruiswoordpuzzel. Ester pelt haar sinaasappel op de bar en een zoete, citrusachtige mist omgeeft haar en maskeert de warme vleesgeur. Als de deur opengaat, kijken ze alle drie op.

Een magere man komt binnen. Hij is verbrand in zijn gezicht, ook al is het helemaal vet van de zonnebrandcrème. Onder wat er nog over is van zijn haar is zijn schedel helroze. Zijn voeten zijn er vreselijk aan toe. Ester ziet de man naar de bar hobbelen. Hij loopt recht op het nieuwe meisje af, maar werpt dan een blik op Ester en verlegt zijn koers.

Ook al heeft ze hem verwacht, pas als hij voor haar staat en hallo zegt en haar naam zegt, beseft ze dat dit Futh moet zijn. Ze voelt de hitte die van zijn huid afkomt. Hij vraagt naar zijn kamer en zij geeft hem de sleutel. Hij zegt: 'Ik zou heel dankbaar zijn als u mijn eten naar mijn kamer zou willen brengen', en dan, nadat hij een poosje naar zijn voeten heeft staan staren alsof hij iets probeert te bedenken, loopt hij naar de lift.

Ze zal zijn eten pakken als ze haar sinaasappel op-heeft. Ze draait zich weer terug naar de bar, het nieu-we meisje gaat weer verder met de inspectie van haar nagels en alleen Bernard blijft naar de deuropening staren, waardoor zojuist de heer Futh is verdwenen.

Hoofdstuk 17 – Kamfer

Futh staat in de lift. De deur is dicht, maar hij heeft
nog niet op de knop gedrukt die hem naar boven moet
brengen. Toen hij net voor Ester stond voelde hij zich
heel vreemd. Ongetwijfeld omdat hij verbrand is of
misschien zelfs wel een zonnesteek heeft opgelopen.
Hij was even bang dat hij daar in de bar misschien wel
een paniekaanval zou krijgen. Opeens had hij weer
aan zijn ontspanningsoefening gedacht: hij had naar
de vloer gekeken, naar zijn voeten, en toen de hare gezien, bloot op de niet aangeveegde vloer, haar hoge
hakken lagen ernaast. Hij was niet in staat zich te concentreren, op zijn voeten te focussen, zijn tenen te
ontspannen enzovoort. Hij was door haar in ver-
legenheid gebracht. Hij was te lang blijven staan,
starend naar haar voeten, en was zich daar opeens
bewust van geworden waarna hij snel naar de lift was
gestrompeld.

Nu staat hij daar te aarzelen, hij kijkt naar de knop-
pen maar drukt er niet op. Het liefst zou hij teruggaan
en met haar praten, over zijn eten – hij vraagt zich af
of hij tegen haar zou moeten zeggen dat hij niet zo'n
liefhebber van salades is. Dat is aan hem niet besteed,

het zou zonde zijn als ze er een voor hem klaarmaakten. Misschien zou hij haar om een beetje aftersun moeten vragen – wat zou het fijn zijn als ze naar zijn kamer kwam met een pot koude crème en als ze die, zonder dat hij het hoefde te vragen, op zijn verbrande huid zou aanbrengen en met haar koele vingertoppen de pijn in zijn voorhoofd en zijn nek zou verzachten.

Zijn vinger gaat naar de knop waarmee je de liftdeuren weer opendoet, maar dan drukt hij toch op de knop die de lift in beweging zet.

In zijn kamer loopt hij regelrecht naar het bed en gaat zitten. Hij overweegt er even bij te gaan liggen, maar weet dat hij dan in slaap zal vallen en in de kleine uurtjes of in de ochtend pas weer wakker zal worden, nog op het dekbed, nog in zijn korte broek en sandalen en nog in dezelfde houding – koud en stijf.

Met pijn en moeite gaat hij staan. Als hij zijn koffer open wil ritsen ziet hij dat de rits niet helemaal dichtzit. Hij vraagt zich af of hij die ochtend wat slordig is geweest of dat hij tijdens het vervoer is opengegaan, of opengemaakt. Hij ritst de koffer helemaal open en ziet zijn kleren netjes opgevouwen liggen zoals hij ze heeft ingepakt. En er zijn geen verdachte pakketjes in de punten van zijn schoenen verstopt.

Hij pakt zijn toilettas en zoekt zijn scheermesje. Hij heeft zich dagen niet geschoren. Zijn toilettas is helemaal volgestouwd met spullen die hij niet echt nodig heeft, die hij nooit gebruikt heeft maar die hij altijd meeneemt. Hij heeft badzouten bij zich, een massagehandschoen, een puimsteen.

De badkamer is nog kleiner dan hij zich herinnerde. Hij laat het zitbad vollopen, pakt zijn verwaarloosde badzouten en strooit ze in het kolkende water. De massagehandschoen en de puimsteen legt hij bij zijn scheermesje op de rand, waarna hij zich uitkleedt en in het bad klimt. Pas als hij helemaal is ondergedompeld in water dat veel te heet is voor zijn verbrande vel, realiseert hij zich dat hij de vuurtoren niet in zijn koffer heeft zien liggen.

Als hij uit het bad komt is zijn huid heel schoon en zacht en gevoelig. Hij laat het water weer weglopen met zijn dode huidcellen en talloze stoppels.

Hij verwacht eigenlijk dat zijn eten nu wel op zijn kamer zal staan, maar er staat niks. Hij trekt zijn pyjama aan, legt zijn koffer op een stoel en wil net zonder eten naar bed gaan als hij zich bedenkt, zijn koffer openmaakt en weer naar zijn vuurtoren zoekt. Als hij zijn hele koffer grondig heeft doorzocht zonder de vuurtoren te vinden, blijft hij enkele ogenblikken staan dubben. Hij kijkt op zijn horloge – het is bijna sluitingstijd. Hij gaat naar de deur en kijkt naar buiten in de lege gang. Hij heeft geen zin om zich weer aan te kleden, maar hij heeft geen badjas. In zijn pyjama loopt hij snel naar de lift en gaat naar beneden.

In de bar ziet hij dat Ester niet op haar kruk zit en hij vraagt aan het meisje achter de bar waar ze is. Hij stelt de vraag in het Duits en het korte antwoord van het meisje is ook in het Duits, maar zijn kennis van de taal is niet voldoende om te begrijpen wat ze zei. Anders zou hij haar wel vragen om het nog eens te herhalen, maar ze heeft zich alweer snel omgedraaid naar een klant. Futh kijkt om zich heen en ziet aan een tafeltje de barkeeper zitten die hem aan het begin van de week zijn ontbijt weigerde. Hij besluit hem maar niet naar Ester te vragen, wat trouwens ook zou betekenen dat hij in zijn pyjama naar hem toe zou moeten lopen.

Hij stapt weer in de lift en gaat naar boven. Na een korte aarzeling op de gang loopt hij naar de deur aan het eind waar 'PRIVÉ' op staat. Het is een branddeur. Hij duwt die open.

Aan de andere kant van de deur is nog een stukje gang met weer een deur, de ingang naar een privéappartement. Futh luistert aan de deur en meent iets te horen, een vrouwenstem. Hij klopt aan. Als er geen reactie komt probeert hij de deurkruk. De deur is niet op slot. Hij staat aan het begin van een helverlichte gang, met aan het eind een open deur en daarachter een kamer waar ook licht brandt. Hij roept Ester. Hij hoort duidelijk iemand lachen, roept nog een keer vanaf de drempel en waagt zich dan naar binnen. De deur valt zachtjes achter hem dicht.

Futh loopt door de gang, roept Ester nog een keer en passeert een kleine woonkamer aan de ene kant en een nog kleinere keuken aan de andere kant. Beide zijn leeg. Hij gaat de kamer aan het eind van de gang binnen en realiseert zich dat de vrouwenstem die hij gehoord heeft door het open raam moet hebben geklonken.

Bij het raam staat een bed. Futh gaat erop zitten om zijn pijnlijke benen te ontlasten en denkt na hoe dat nou moet met zijn vuurtoren. Het kan waarschijnlijk ook wel tot de volgende morgen wachten. Hij zou er bij het ontbijt naar kunnen vragen. Maar dan zou die man er misschien zijn in plaats van Ester, en Futh heeft niet het idee dat die hem ook maar enigszins behulpzaam zou willen zijn.

Al nadenkend kijkt hij om zich heen. Hij ziet een stukgelezen romannetje op het nachtkastje liggen en ernaast staat een flesje lotion dat hij oppakt. Hij giet wat in zijn hand en probeert het op zijn verbrande voorhoofd, maar het prikt.

Aan het andere eind van de kamer is een badkamer die hij nog niet gezien had, maar de deur staat open en de badkamer, waar geen licht brandt, is leeg. Naast de deur naar de badkamer staan een kast en een kaptafel, en op de kaptafel staat een zilveren vuurtoren. Hij komt langzaam overeind en loopt eropaf, maar als hij bijna bij de kaptafel is hoort hij iemand het appartement binnenkomen. Futh is zich er opeens intens van bewust dat hij hier op verboden terrein is. Hij had misschien nog kunnen verklaren dat hij zich aan de verkeerde kant van de privédeur bevond, van die branddeur, maar er is geen enkel excuus om in zijn pyjama in de slaapkamer van Ester te worden aangetroffen. Hij betreurt het dat hij hier naar binnen is gegaan, glipt de badkamer in en duwt de deur dicht.

Het raam in de badkamer staat open, Futh kan de volle maan erdoor zien. Op de vensterbank staan een stuk of zes venusvliegenvallen die hem aan Gloria doen denken. Hij ziet haar voor zich terwijl ze op slippers haar keukendeur opendoet, naar hem glimlacht en zich omdraait met de woorden: 'Kom binnen en houd me gezelschap.'

Die keer waar hij aan moet denken was er geen eten. Gloria nam hem mee naar boven, naar de slaapkamer van Kenny, waar ze iets zo uit een fles dronk waarvan ze zei dat hij er borsthaar van zou krijgen. Toen ging ze weer verder met waar ze mee bezig was geweest: ze doorzocht de laden van Kenny en deed zijn spullen in een doos.

'Hij wil al zijn spullen hebben,' zei ze. 'Al die spullen die hij anders nooit meenam wil hij nu hebben. Hij gaat met zijn vader naar het buitenland.'

'O ja?' zei Futh. 'Naar Europa?'

'Nee,' zei ze. 'Niet Europa.' Ze legde een stapel oude motorbladen in de doos. 'Ik weet niet wat hij met al die troep wil. Hij kan het niet meenemen. Maar hij wil het wel hebben. Ik zei nog tegen hem: "Laat toch wat hier." Hij wil misschien ook nog weleens iets lezen als hij hier is. Misschien heeft hij nog weleens een trui nodig.' Ze hield er een omhoog. 'Deze is trouwens te klein voor hem. Jij mag hem wel hebben. Hij past je waarschijnlijk precies.' Ze duwde hem in zijn handen. 'Trek maar eens aan,' zei ze. 'Laat maar even zien hoe hij je staat. Het is er koud genoeg voor.' Futh had het eigenlijk nogal benauwd in de veel te warm gestookte kamer van Kenny. Gloria had een peignoir aan, maar die was net zo dun als haar nachtjaponnen. Maar Futh trok de trui toch aan en Gloria leek erg ingenomen met het resultaat. 'Kijk eens aan,' zei ze. Hij pakte een kompas dat daar lag en Gloria vroeg: 'Vind je het mooi? Je mag het wel hebben als je wilt.'

Toen excuseerde ze zich en mocht Futh even alleen in de spullen van Kenny neuzen. Hij stak het kompas in zijn achterzak en haalde een oude handleiding voor auto-onderhoud uit de doos. Hij wilde rijles nemen zodra hij daar oud genoeg voor was. Hij had al fantasieën waarin hij over het platteland toerde met een lunchpakketje en een deken, of met zijn paspoort, en dat hij daarmee naar Dover reed.

Na een poosje ging Futh op zoek naar Gloria en trof haar in bad aan. De deur van de badkamer stond op een kier. Hij realiseerde zich dat hij de kraan had horen lopen en hij had zelfs gehoord dat hij weer werd dichtgedraaid, maar hij had daar verder niet bij stilgestaan.

'Kom binnen,' zei ze. 'Kom binnen, dan kun je mijn rug wassen.' Hij bleef staan waar hij stond, op de overloop, en hield de handleiding voor zich als een schild, drukte die tegen zijn borst als een pantser. 'Toe dan,' zei ze. 'Ik kan er niet bij.' Hij legde de handleiding op de wasmand bij de deur en liep naar het bad.

Gloria stak hem een spons toe. 'Ik liet het anders altijd door Kenny doen,' zei ze, terwijl ze de spons in zijn hand drukte. 'Ik liet hem altijd mijn rug scrubben en mijn schouders een beetje masseren.' Ze reikte hem de zeep aan. 'Hij was er altijd heel goed in,' zei ze, 'heel goed met zijn handen.'

Dat was de laatste keer dat Futh naar het huis van Gloria ging om te kijken of Kenny er was.

Futh zit op de rand van het bad en kijkt door een spleet tussen de deur en de deurpost. Ester komt de kamer binnen. Zijn hart begint te bonzen. Ze heeft een schaal met eten in haar handen – koud vlees en gekookte eieren en salade, afgedekt met plasticfolie. Ze loopt naar de kaptafel, zet de schaal neer, pakt de zilveren vuurtoren en bergt hem op in een la.

Ze trekt een andere la open, diept daar een pakje sigaretten en een rode Bic-aansteker uit op, gaat naar het open raam en steekt een sigaret op. Een deel van de rook zweeft de slaapkamer in, maar er komt ook rook door het badkamerraam naar binnen, die Futh inademt.

Hij gaat even anders zitten, stoot per ongeluk tegen de flesjes aan die in een rijtje achter de kranen staan en steekt snel een hand uit om te voorkomen dat ze in het bad vallen. Hij neemt er een in zijn hand, draait de dop eraf, brengt het flesje naar zijn neus en snuift een kamfergeur op die hem terugvoert naar het donker in de kast van zijn moeder. Het is net of zijn ziel terug in de tijd wordt geslingerd.

Ester laat haar peuk op het trottoir beneden vallen, loopt terug naar de kaptafel en bergt het pakje sigaretten en de aansteker weer op in de la. Dan pakt ze de schaal en loopt de kamer uit.

Opnieuw laat ze de lichten in de slaapkamer branden – Futh veronderstelt dat ze alleen even het eten naar zijn kamer wil brengen, wat zo gepiept is, en dat ze dan naar bed wil gaan. Staand achter de deur hoort hij haar weglopen en dan komt hij tevoorschijn.

Hij loopt naar de kaptafel en trekt een van de drie laden open om te zien of de zilveren vuurtoren daarin ligt. De la ligt vol make-up, allemaal gebruikte lipsticks in haar kleur roze. Er liggen ook wat losse

sieraden in de la – gouden halskettingen en een bedelarmband – en een heleboel van die doosjes waar sieraden in verkocht worden. Op een van de doosjes zit
geen deksel meer. Op het vierkantje schuimrubber is
iets vastgepind wat hij aanvankelijk aanziet voor een
broche in de vorm van een mot, maar dan realiseert
hij zich dat het een echte mot is. Hij raakt de roerloze
vleugeltjes even aan en duwt de la weer dicht.

In de tweede la die hij opentrekt ligt ondergoed. Ergens bovenop ligt net zo'n roze satijnen slipje als hij
een week eerder onder zijn bed aantrof.

In de laatste la vindt hij tientallen parfumflesjes
– sommige goedkoop, andere duur, een paar proefmonsters en een enkele houder: een blauwe glazen
wolkenkrabber, een houten vuurtorentje en daarnaast
wat niet anders dan zijn zilveren vuurtoren kan zijn.
Hij haalt hem eruit als hij tot zijn schrik de deur van
het appartement hoort dichtslaan. Snel verbergt hij
zich weer in de donkere, rokerige badkamer. Hij trilt
helemaal. Zijn blaas staat opeens op springen, hij zou
graag even zijn behoefte doen.

Het zit er dik in dat Ester hem nu zal ontdekken.
Hij gaat weer op de rand van het bad zitten en merkt
dat hij het roze satijnen slipje nog in zijn hand heeft.
Hij begint zo langzamerhand te vrezen dat ze hem
zullen vragen zijn spullen te pakken. Dan zal hij in de
auto moeten slapen, en daar heeft hij geen deken. En,
bedenkt hij, dan zal hij alweer zijn ontbijt mislopen.

In zijn andere hand heeft hij de vuurtoren. Hij is
zich er slechts vaag van bewust dat hij ongewoon
zwaar aanvoelt.

Hij kan niet in de slaapkamer kijken, er zit geen spleet meer tussen de deur en de deurpost, maar hij hoort het metalige klakken van haar hakken op de planken vloer. Het doet hem onwillekeurig denken aan tapdansen.

Midden in de kamer blijft ze staan alvorens naar het bed te lopen. Dan, een ogenblik later, hoort hij haar naar deze kant van de kamer lopen. Ze trekt de deuren van de kast open en doet ze weer dicht. Hij hoort haar met haar nagels op de kastdeur of tegen de zijkant van de kast trommelen, alsof ze staat na te denken wat ze nu moet doen. Ze komt dichter naar de badkamer toe.

Futh zit zo stil als hij kan in het donker, in het maanlicht. Voor het eerst sinds zijn twaalfde denkt hij dat hij het weleens in zijn broek zou kunnen doen. Zijn hart gaat tekeer, zijn bloed kolkt onder het oppervlak van zijn badzachte huid. Zijn gezicht gloeit en hij heeft zweetplekken onder zijn oksels. Hij kijkt naar zijn voeten en ademt diep in en uit, probeert zijn tenen te ontspannen, zijn voetzolen, zijn enkels, ademt in, ademt uit en concentreert zich op het ontspannen van zijn kuiten, zijn knieën, zijn bovenbenen, zijn onderbuik – hij voelt hoe de warmte zich door zijn lichaam verspreidt.

Ze staat vlak voor de badkamerdeur, aan de andere kant. Ze is bijna zo dichtbij dat hij haar kan ruiken, de deur gaat open en vlak voor Futh opkijkt floept het licht aan en ruikt hij kamfer.

Hoofdstuk 18 – De veerboot

De vloer met zijn bonte bedekking waar braakselvlekken nauwelijks op te zien zijn deint en schommelt onder Carls voeten als hij door de lounge loopt. Hij doet de buitendeur open en moet even tegen een straffe zeewind vechten. Hij gaat naar buiten en doet de metalen deur weer dicht.

Het is een kille avond; hij mist zijn hoed. Er is in de lucht nog wel wat blauw te zien, maar de maan is al opgekomen. Hij lijkt vol, maar in werkelijkheid was het de avond daarvoor volle maan en is hij alweer aan het afnemen.

Hij kijkt vorsend om zich heen naar de andere mensen aan dek, hij zoekt de man die hij vorig weekend op de veerboot heeft ontmoet en die met hem mee is geweest naar het huis van zijn moeder in Utrecht. Carl had eigenlijk gehoopt hem hier weer te zien.

Ook al hebben ze nog maar een week geleden enige uren samen doorgebracht, en ook al heeft Carl sindsdien aan hem gedacht, hij merkt dat hij hem niet echt voor de geest kan halen. Hij was mager, denkt hij, met dun haar. En hij was bleek, maar misschien was dat alleen zeeziekte.

Hij weet niet eens meer hoe de man heette. Het was een naam die op een of andere manier iets vluchtigs had, een naam die ertussenuit leek te piepen nog voor hij verklonken was. Hij graaft zijn geheugen af, maar de naam is weg.

Carl houdt zich vast aan de reling en ziet de kustlijn vervagen. De veerboot, nu aan alle kanten door zeewater omringd, zal morgenvroeg in Engeland aankomen.

Het congres was interessant. In tegenstelling tot wat zijn moeder met alle geweld wil geloven, werden er geen glazen bollen gelezen en werd er geen koffiedik gekeken, er werden slechts lezingen gehouden door academisch geschoolde mensen. Hij heeft verhandelingen aangehoord over telepathie, over waarneming op afstand, helen op afstand. Wat hem echt fascineert zijn voorkennis en voorgevoelens. Zeker, hij heeft ook wel met tarotkaarten geëxperimenteerd, maar hij kan geen enkele waardering opbrengen voor de geringschattende opmerkingen van zijn moeder. Hij had zich dood gegeneerd toen ze een keer naar zijn kamer was gekomen terwijl hij bezoek had en ze hem de les had gelezen omdat hij 'weer met die stomme kaarten zat te rotzooien'. Voor ze hem met rust liet had ze nog gevraagd: 'Heb je het koffiedik soms ook nog nodig?'

Hij kijkt nog een keer om zich heen om te zien of de man er misschien toch is, die angstige automobilist die hem vorige week een lift heeft gegeven. Opeens moet hij weer aan het autodek denken, aan het geronk, de stank van benzine, de metalen wanden en de

metalen vloer en de tl-bakken aan het metalen plafond, de fluorescerende oranje verf en de borden met
voorschriften en waarschuwingen, de bordjes met
'verboden te roken' en de brandblussers, de sirenes en
de zwaailichten. Het doet hem denken aan de onder-
grondse of aan een onderzeeër en zijn maag begint te
draaien.

Toen ze op de heenreis op het autodek in de auto
zaten, hij met de wegenatlas van zijn kennis op
schoot, en ze wachtten tot ze de boot af mochten rijden, had hij opeens het verschrikkelijke gevoel gehad
dat hij in de val zat, en dat er een ramp ging gebeuren.
Hij was er misselijk van geworden, maar toen hij zich
naar zijn metgezel keerde en vroeg: 'Heb jij weleens
ergens een akelig gevoel over?' lieten ze net met veel
kabaal de klep op de kade zakken en was er licht, zag
hij de lucht, en probeerde zijn vriend een of ander
melodietje te neuriën, in afwachting van het sein dat
ze naar buiten konden rijden, het licht tegemoet.

Dankbetuiging

Veel dank aan Nick Royle die mij in een vroeg stadium aanmoedigde en feedback gaf van onschatbare waarde, dank ook voor zijn scherpzinnige redactie en zijn geduld; dank aan Dan voor zijn close reading en al zijn waardevolle opmerkingen, zijn vermogen om te slapen met het licht aan en zijn steun; dank aan Wheelbarrow Grandma voor alle speelafspraakjes van Arthur; dank aan John Oakey voor het prachtige omslag; en dank aan Jen en Chris van Salt voor de geweldige samenwerking.